suhrkamp taschenbuch 43

Peter Handke, 1942 in Griffen (Kärnten) geboren, lebt heute in der Bundesrepublik. Prosa: *Die Hornissen; Der Hausierer; Begrüßung des Aufsichtsrats; Die Angst des Tormanns beim Elfmeter; Chronik der laufenden Ereignisse* (Filmbuch); *Der kurze Brief zum langen Abschied; Wunschloses Unglück.* Stücke: *Publikumsbeschimpfung und andere Sprechstücke; Kaspar; Das Mündel will Vormund sein; Quodlibet; Wind und Meer* (Hörspiele); *Der Ritt über den Bodensee; Die Unvernünftigen sterben aus.* Gedichte: *Die Innenwelt der Außenwelt der Innenwelt.* Reader: *Prosa, Gedichte, Theaterstücke, Hörspiel, Aufsätze.*

Das Aufsehen, das Peter Handke mit seinen Stücken erregt, zeigt an, wie genau er liebgewordene Anschauungen des herkömmlichen Theaterbetriebs zerstört. Mit seinen Sprechstücken *Publikumsbeschimpfung, Weissagung, Selbstbezichtigung* und *Hilferufe,* die hier zum ersten Mal zusammengestellt werden, und mit seinem *Kaspar* hebt Handke den Illusionscharakter der Bühne auf. Er entwirft nicht Bilder von Handlungen, die andere Handlungen imitieren, sondern er macht die Sprache selbst zum Inhalt. Seine Sprechstücke geben dem Theater durch die Wörter Wirklichkeit zurück.

Peter Handke
Stücke 1

Suhrkamp

Umschlagfoto von Enno Janssen
aus einer Inszenierung des *Kaspar*

suhrkamp taschenbuch 43
21.–30. Tausend 1973

Satz: Nomos Verlagsgesellschaft, Baden-Baden
Druck: Ebner, Ulm · Printed in Germany
Umschlag nach Entwürfen
von Willy Fleckhaus und Rolf Staudt

Inhalt

Manchmal fragt einen jemand, ob man Sachen, die man vor ziemlich langer Zeit getan hat, jetzt anders machen würde. Ich glaube nicht, daß ich an den Stücken, wie sie hier vorliegen, etwas ändern würde; ich würde höchstens ganz andere Stücke schreiben. Nur ab und zu fällt mir ein Satz auf, den ich dann gern irgendwo einfügen möchte, zum Beispiel »Der Affe wird auf dem Schleifstein hocken wie der Affe auf dem Schleifstein« in die »Weissagung« – das aber eher als Spaß.

Wichtiger wäre es, neue Aufführungsmöglichkeiten für die Stücke zu beschreiben: *Publikumsbeschimpfung* wirklich nur als ruhige, vernünftige Anrede ans Publikum, nicht mehr Körpersprache als nötig; *Selbstbezichtigung* nur mit einem Schauspieler, ohne Lautsprecher, ohne rhythmische Formalisierung; und *Kaspar,* wie ich es auch schon damals beschrieben habe, eben nicht als Clownsfigur, sondern wirklich als überlebensgroßes Frankenstein-Monster, die Einsager auf einen oder zwei reduziert, die auch nicht mehr alle Arten von »Sprechen spielen«, sondern bei einem vernünftelnden, beruhigenden Tonfall bleiben ... Das meiste davon ist ohnedies in den Stücken schon festgelegt, ich erinnere nur noch einmal daran.

Allmählich bekomme ich wieder Lust, eine Aufführung der *Publikumsbeschimpfung* in dem kleinen Theater anzuschauen, das das Stück seit über fünf Jahren spielt. Agatha Christie ... Es muß sehr seltsam sein, wie ein leicht alberner Traum. Später möchte ich einmal einen zweiten Teil der *Publikumsbeschimpfung* schreiben.

P. H.

Publikumsbeschimpfung

Für
Karlheinz Braun, Claus Peymann, Basch Peymann,
Wolfgang Wiens, Peter Steinbach, Michael Gruner,
Ulrich Hass, Claus Dieter Reents, Rüdiger Vogler,
John Lennon

Vier Sprecher

Regeln für die Schauspieler

Die Litaneien in den katholischen Kirchen anhören.
Die Anfeuerungsrufe und die Schimpfchöre auf den Fußballplätzen anhören.
Die Sprechchöre bei Aufläufen anhören.
Die laufenden Räder eines auf den Sattel gestellten Fahrrads bis zum Ruhepunkt der Speichen anhören und die Speichen bis zu ihrem Punkt der Ruhe ansehen.
Das allmähliche Lautwerden einer Betonmischmaschine nach dem Anschalten des Motors anhören.
Das Inswortfallen bei Debatten anhören.
›Tell me‹ von den Rolling Stones anhören.
Die zugleich geschehenden Einfahrten und Ausfahrten von Zügen anhören.
Die Hitparade von Radio Luxemburg anhören.
Die Simultansprecher bei den Vereinten Nationen anhören.
In dem Film ›Die Falle von Tula‹ den Dialog des Gangsterbosses (Lee J. Cobb) mit der Schönen anhören, in dem die Schöne den Gangsterboß fragt, wieviele Menschen er denn noch umbringen lassen werde, worauf der Gangsterboß, indem er sich zurücklehnt, fragt: Wieviele gibt's denn noch? und dabei den Gangsterboß ansehen.
Die Beatles-Filme ansehen.
In dem ersten Beatles-Film Ringo Starrs Lächeln ansehen, in dem Augenblick, da er, nachdem er von den andern gehänselt worden ist, sich an das Schlagzeug setzt und zu trommeln beginnt.
In dem Film ›Der Mann aus dem Westen‹ das Gesicht Gary Coopers ansehen.
In demselben Film das Sterben des Stummen ansehen, der mit der Kugel im Leib die ganze öde Straße durch die verlassene Stadt hinunterläuft und hüpfend und springend jene schrillen Schreie ausstößt.
Die die Menschen nachäffenden Affen und die spuckenden Lamas im Zoo ansehen.

Die Gebärden der Tagediebe und Nichtstuer beim Gehen auf den Straßen und beim Spiel an den Spielautomaten ansehen.

Wenn die Besucher den für sie bestimmten Raum betreten, erwartet sie die bekannte Stimmung vor dem Beginn eines Stücks. Vielleicht ist hinter dem geschlossenen Vorhang sogar das Geräusch von irgendwelchen Gegenständen zu hören, die den Besuchern das Verschieben und Zurechtrücken von Kulissen vortäuschen. Zum Beispiel wird ein Tisch quer über die Bühne gezogen oder einige Stühle werden geräuschvoll aufgestellt und wieder beiseitegetragen. Die Zuschauer in den ersten Reihen können hinter dem Vorhang auch die geflüsterten Anweisungen vorgetäuschter Bühnenmeister und die geflüsterten Verständigungen vorgetäuschter Arbeiter hören. Vielleicht ist es zweckdienlich, dafür Tonbandaufnahmen von anderen Stücken zu verwenden, bei denen vor dem Aufgehen des Vorhangs in Wirklichkeit Gegenstände bewegt werden. Diese Geräusche werden zur besseren Hörbarkeit noch verstärkt. Man typisiert und stilisiert sie, so daß eine Ordnung oder Gesetzmäßigkeit in den Geräuschen entsteht. Auch im Zuschauerraum ist für die gewohnte Theaterstimmung zu sorgen. Die Platzanweiser vervollkommnen noch ihre gewohnte Beflissenheit, bewegen sich noch formeller und zeremonieller, dämpfen ihr gewohntes Flüstern noch stilvoller. Ihr Gehaben wirkt ansteckend. Die Programme sind in vornehmer Ausstattung gehalten. Das wiederholte Klingelsignal darf nicht vergessen werden. Es folgt in immer kürzeren Abständen. Das allmähliche Verlöschen des Lichts wird nach Möglichkeit noch hinausgezögert. Vielleicht kann es stufenweise geschehen. Die Gebärden der Platzanweiser, die die Türen nun schließen, sind besonders gravitätisch und auffallend. Dennoch sind sie nichts anderes als Platzanweiser. Es soll keine Symbolik entstehen. Zu spät Kommende haben keinen Zutritt. Besucher in unangemessener Kleidung werden abgewiesen. Der Begriff der unangemessenen Kleidung ist möglichst weit auszulegen. Niemand soll durch seine Kleidung besonders aus den Zuschauern herausstechen und das Auge verletzen. Zumindest sollen die Herren dunkel gekleidet sein, Rock, weißes Hemd und eine unauffällige Krawatte tragen. Die Damen sollen grelle Farben ihrer Garderoben tunlichst vermeiden. Es gibt keine Stehplätze. Sind die Türen geschlossen und ist das Licht allmählich erloschen, so wird es auch hinter dem Vorhang allmählich still. Die Stille hinter dem Vorhang und die Stille, die im Zuschauerraum eintritt, gleichen einander. Die Zuschauer starren noch eine kleine Weile auf den sich fast unmerklich bewegenden, von einem vorgetäuschten Huschen sich vielleicht sogar buchtenden Vorhang. Dann wird der Vorhang ruhig. Es verstreicht noch eine kurze Zeit. Dann geht der Vorhang langsam auseinander und gibt den Blick frei. Wenn die Bühne den Blicken frei ist, kommen aus dem Bühnenhintergrund die vier Sprecher nach vorn. Sie werden in ihrem Gehen durch keinen Gegenstand behindert. Die Bühne ist leer. Während sie in den Vordergrund kommen, in einem Gang, der nichts anzeigt, in einer beliebigen Kleidung, wird es wieder hell, auf der Bühne und im Zuschauerraum. Die Helligkeit hier und dort ist ungefähr gleich, von einer Stärke, die den Augen nicht weh tut. Das Licht ist das gewohnte, das einsetzt, wenn zum Beispiel die Vorstellung aus ist. Die Helligkeit bleibt auf der Bühne wie im Zuschauerraum während des ganzen Stückes unverändert. Die Sprecher schauen noch nicht ins Publikum, während sie herankommen. Sie proben noch im Gehen. Sie richten die Worte, die sie sprechen, keinesfalls an die Zuhörer. Das Publikum darf noch keinesfalls gemeint sein. Für die Sprecher ist es noch nicht vorhanden. Während sie herankommen, bewegen sie die Lippen. Allmählich werden ihre Worte verständlich und schließlich laut. Die Schimpfwörter, die sie sprechen, überschneiden sich. Die Sprecher sprechen durcheinander. Sie nehmen voneinander Wörter auf. Sie nehmen einander die Worte aus dem Mund. Sie sprechen gemeinsam. Sie sprechen alle zugleich, aber verschiedene Wörter. Sie wiederholen die Wörter. Sie sprechen lauter. Sie schreien. Sie vertauschen die geprobten Wörter untereinander. Sie proben schließlich gemeinsam ein Wort. Die Wörter, die sie zu diesem Vorspiel verwenden, sind folgende: (die Reihenfolge ist nicht zu beachten) *Ihr Fratzen, ihr Kasperl, ihr Glotzaugen, ihr*

Jammergestalten, ihr Ohrfeigengesichter, ihr Schießbudenfiguren, ihr Maulaffenfeilhalter. Nach einer gewissen klanglichen Einheitlichkeit ist zu streben. Außer dem Klangbild soll sich aber kein anderes Bild ergeben. Die Beschimpfung ist an niemanden gerichtet. Aus ihrer Sprechweise soll sich keine Bedeutung ergeben. Die Sprecher sind vor dem Ende der Schimpfprobe im Vordergrund angelangt. Sie stellen sich zwanglos auf, bilden aber eine gewisse Formation. Sie sind nicht völlig starr, sondern bewegen sich nach der Bewegung, die ihnen die zu sprechenden Worte verleihen. Sie schauen nun ins Publikum, fassen aber niemand ins Auge. Sie bleiben noch ein wenig stumm. Sie sammeln sich. Dann beginnen sie zu sprechen. Die Reihenfolge des Sprechens ist beliebig. Alle Sprecher sind ungefähr gleich viel beschäftigt.

Sie sind willkommen.

Dieses Stück ist eine Vorrede.

Sie werden hier nichts hören, was Sie nicht schon gehört haben. Sie werden hier nichts sehen, was Sie nicht schon gesehen haben. Sie werden hier nichts von dem sehen, was Sie hier immer gesehen haben. Sie werden hier nichts von dem hören, was Sie hier immer gehört haben.

Sie werden hören, was Sie sonst gesehen haben.
Sie werden hören, was Sie hier sonst nicht gesehen haben.
Sie werden kein Schauspiel sehen.
Ihre Schaulust wird nicht befriedigt werden.
Sie werden kein Spiel sehen.
Hier wird nicht gespielt werden.
Sie werden ein Schauspiel ohne Bilder sehen.

Sie haben sich etwas erwartet.
Sie haben sich vielleicht etwas anderes erwartet.
Sie haben sich Gegenstände erwartet.
Sie haben sich keine Gegenstände erwartet.
Sie haben sich eine Atmosphäre erwartet.
Sie haben sich eine andere Welt erwartet.
Sie haben sich keine andere Welt erwartet.
Jedenfalls haben Sie sich etwas erwartet.
Allenfalls haben Sie sich das erwartet, was sie hier hören.
Aber auch in diesem Fall haben Sie sich etwas anderes erwartet.

Sie sitzen in Reihen. Sie bilden ein Muster. Sie sitzen in einer gewissen Ordnung. Ihre Gesichter zeigen in eine gewisse Richtung. Sie sitzen im gleichen Abstand voneinander. Sie sind ein Auditorium. Sie bilden eine Einheit. Sie sind eine Zuhörerschaft, die sich im Zuschauerraum befindet. Ihre Gedanken sind frei. Sie machen sich noch Ihre eigenen Gedanken. Sie sehen uns sprechen und Sie hören uns sprechen. Ihre

Atemzüge werden einander ähnlich. Ihre Atemzüge passen sich den Atemzügen an, mit denen wir sprechen. sie atmen, wie wir sprechen. Wir und Sie bilden allmählich eine Einheit.

Sie denken nichts. Sie denken an nichts. Sie denken mit. Sie denken nicht mit. Sie sind unbefangen. Ihre Gedanken sind frei. Indem wir das sagen, schleichen wir uns in Ihren Gedanken. Sie haben Hintergedanken. Indem wir das sagen, schleichen wir uns in Ihre Hintergedanken. Sie denken mit. Sie hören. Sie vollziehen nach. Sie vollziehen nicht nach. Sie denken nicht. Ihre Gedanken sind nicht frei. Sie sind befangen.

Sie schauen uns an, wenn wir mit Ihnen sprechen. Sie schauen uns nicht *zu*. Sie schauen uns *an*. Sie werden angeschaut. Sie sind ungeschützt. Sie haben nicht mehr den Vorteil derer, die aus dem Dunkeln ins Licht schauen. Wir haben nicht mehr den Nachteil derer, die vom Licht in das Dunkle schauen. Sie schauen nicht zu. Sie schauen an und Sie werden angeschaut. Auf diese Weise bilden wir und Sie allmählich eine Einheit. Statt Sie könnten wir unter gewissen Voraussetzungen auch wir sagen. Wir befinden uns unter einem Dach. Wir sind eine geschlossene Gesellschaft.

Sie hören uns nicht *zu*. Sie hören uns *an*. Sie sind nicht mehr die Lauscher hinter der Wand. Wir sprechen offen zu Ihnen. Unsere Gespräche gehen nicht mehr im rechten Winkel zu Ihren Blicken. Unsere Gespräche werden von Ihren Blicken nicht mehr geschnitten. Unsere Worte und Ihre Blicke bilden keinen Winkel mehr miteinander. Sie werden nicht mißachtet. Sie werden nicht als bloße Zwischenrufer behandelt. Sie brauchen sich über kein Geschehen hier aus der Perspektive von Fröschen und Vögeln ein Urteil zu bilden. Sie brauchen nicht Schiedsrichter zu spielen. Sie werden nicht mehr als eine Zuschauerschaft behandelt, an die wir uns zwischendurch wenden können. Das ist kein Spiel. Hier gibt es kein Zwischendurch. Hier gibt es kein Geschehen, das Sie ansprechen soll. Das ist kein Spiel. Wir treten aus keinem Spiel heraus, um uns an Sie zu wenden. Wir haben keine Illusionen nötig, um Sie desillusionieren zu können. Wir zeigen Ihnen nichts. Wir spielen keine Schicksale. Wir spielen keine Träume. Das ist kein Tatsachenbericht. Das ist keine Dokumentation. Das ist kein Ausschnitt der Wirklichkeit. Wir erzählen Ihnen nichts. Wir handeln nicht. Wir spielen Ihnen keine Handlung vor. Wir stellen nichts dar. Wir machen Ihnen nichts vor. Wir sprechen nur. Wir spielen, indem wir Sie ansprechen. Wenn wir wir sagen, können wir auch Sie meinen. Wir stellen nicht Ihre Situation dar. In uns können Sie nicht sich selber erkennen. Wir spielen keine Situation. Sie brauchen sich nicht betroffen zu fühlen. Sie können sich nicht betroffen fühlen. Ihnen wird kein Spiegel vorgehalten. Sie sind nicht gemeint. Sie sind angesprochen. Sie werden angesprochen. Sie werden angesprochen werden. Sie werden sich langweilen, wenn Sie nicht angesprochen sein wollen.

Sie leben nicht mit. Sie gehen nicht mit. Sie vollziehen nichts nach. Sie erleben hier keine Intrigen. Sie erleben nichts. Sie stellen sich nichts vor. Sie brauchen sich nichts vorzustellen. Sie brauchen keine Voraussetzung. Sie brauchen nicht zu wissen, daß dies hier eine Bühne ist. Sie brauchen keine Erwartung. Sie brauchen sich nicht erwartungsvoll zurückzulehnen. Sie brauchen nicht zu wissen, daß hier nur gespielt wird. Wir machen keine Geschichten. Sie verfolgen kein Geschehen. Sie spielen nicht mit. Hier wird Ihnen mitgespielt. Das ist ein Wortspiel.

Hier wird nicht dem Theater gegeben, was des Theaters ist. Hier kommen Sie nicht auf Ihre Rechnung. Ihre Schaulust bleibt ungestillt. Es wird kein Funken von uns zu Ihnen überspringen. Es wird nicht knistern vor Spannung. Diese Bretter bedeuten keine Welt. Sie gehören zur Welt. Diese Bretter dienen dazu, daß wir darauf stehen. Dies ist keine andre Welt als die Ihre. Sie sind keine Zaungäste mehr. Sie sind das Thema. Sie sind im Blickpunkt. Sie sind im Brennpunkt unserer Worte.

Ihnen wird nichts vorgespiegelt. Sie sehen keine Wände, die wackeln. Sie hören nicht das falsche Geräusch einer ins Schloß fallenden Tür. Sie hören keine Sofa knarren. Sie sehen keine Erscheinungen. Sie haben keine Geschichte. Sie sehen kein Bild von etwas. Sie sehen auch nicht die Andeutung eines Bildes. Sie sehen keine Bilderrätsel. Sie sehen auch kein leeres Bild. Die Leere dieser Bühne ist kein Bild von einer anderen Leere. Die Leere dieser Bühne bedeutet nichts. Diese Bühne ist leer, weil Gegenstände uns im Weg wären. Sie ist leer, weil wir keine Gegenstände brauchen. Diese Bühne stellt nichts dar. Sie stellt keine andere Leere dar. Die Bühne i s t leer. Sie sehen keine Gegenstände, die andere Gegenstände vortäuschen. Sie sehen keine Dunkelheit, die eine andere Dunkelheit vortäuscht. Sie sehen keine Helligkeit, die eine andere Helligkeit vortäuscht. sie sehen kein Licht, das ein anderes Licht vortäuscht. Sie hören keine Geräusche, die andere Geräusche vortäuschen. Sie sehen keinen Raum, der einen anderen Raum vortäuscht. Sie erleben hier keine Zeit, die eine andere Zeit bedeutet. Hier auf der Bühne ist die Zeit keine andre als die bei Ihnen. Wir haben die gleiche Ortszeit. Wir befinden uns an den gleichen Orten. Wir atmen die gleiche Luft. Wir sind im gleichen Raum. Hier ist keine andere Welt als bei Ihnen. Die Rampe ist keine Grenze. Sie ist nicht nur manchmal keine Grenze. Sie ist keine Grenze die ganze Zeit, während wir zu Ihnen sprechen. Hier ist kein unsichtbarer Kreis. Hier ist kein Zauberkreis. Hier ist kein Spielraum. Wir spielen nicht. Wir sind alle im selben Raum. Die Grenze ist nicht durchbrochen, sie ist nicht durchlässig, sie ist gar nicht vorhanden. Zwischen Ihnen und uns ist kein Strahlungsgürtel. Wir sind keine selbstbeweglichen Requisiten. Wir sind nicht die Bilder von etwas. Wir sind keine Darsteller. Wir stellen nichts dar. Wir stellen nichts vor. Wir tragen keine Decknamen. Unser Herzschlag bedeutet keinen anderen Herzschlag. Unsere markerschütternden Schreie bedeuten keine anderen markerschütternden Schreie. Wir treten nicht aus den Rollen heraus. Wir haben keine Rollen. Wir sind wir. Wir sind das Sprachrohr des Autors. Sie können sich kein Bild von uns machen. Sie brauchen sich kein Bild von uns zu machen. Wir sind wir. Unsere Meinung braucht sich mit der des Autors nicht zu decken.

Das Licht, das uns beleuchtet, hat nichts zu bedeuten. Auch die Kleidung, die wir tragen, hat nichts zu bedeuten. Sie zeigt nichts, sie sticht nicht ab, sie bedeutet nichts. Sie will Ihnen keine andere Zeit bedeuten, kein anderes Klima, keine andere Jahreszeit, keinen anderen Breitengrad, keinen anderen Anlaß, sie zu tragen. Sie hat keine Funktion. Auch unsere Gesten haben keine Funktion, die Ihnen etwas bedeuten soll. Das ist kein Welttheater.

Wir sind keine Spaßmacher. Es gibt keine Gegenstände hier, über die wir stolpern könnten. Die Tücke des Objekts ist nicht eingeplant. Die tückischen Gegenstände spielen nicht mit, weil nicht mit Ihnen gespielt wird. Die Gegenstände dienen nicht dazu, tückisch zu s p i e l e n, sie s i n d tückisch. Wenn wir hier stolpern, stolpern wir absichtslos. Absichtslos ist auch ein Fehler an unserer Kleidung, absichtslos sind unsere vielleicht lächerlichen Gesichter. Auch Versprecher, die Sie erheitern, sind unbeabsichtigt. Wenn wir stottern, stottern wir ohne unsere Absicht. Das Herunterfallen eines Taschentuchs können wir nicht in das Spiel einbeziehen. Wir spielen nicht. Wir können die Tücke der Objekte nicht in ein Spiel einbeziehen. Wir können die Tücke der Objekte nicht retouchieren. Wir können nicht zweideutig sein. Wir können nicht vieldeutig sein. Wir sind keine Clowns. Wir sind in keiner Arena. Sie genießen nicht das Machtgefühl der Umzingler. Sie genießen nicht die Komik der Hinteransicht. Sie genießen nicht die Komik der tückischen Objekte. Sie genießen die Komik der Worte.

Hier werden die Möglichkeiten des Theaters nicht genutzt. Der Bereich der Möglichkeiten wird nicht ausgemessen. Das Theater wird nicht entfesselt. Das Theater wird gefesselt. Das Schicksal ist hier ironisch gemeint. Wir sind nicht theatralisch. Unsere Komik ist nicht umwerfend. Ihr Lachen kann nicht befreiend sein. Wir sind nicht spielfreudig. Wir spielen Ihnen keine Welt vor. Das ist nicht die Hälfte einer Welt. Wir bilden nicht zwei Welten.

Sie sind das Thema. Sie stehen im Mittelpunkt des Interesses. Hier wird nicht gehandelt, hier werden Sie behandelt. Das ist kein Wortspiel. Hier werden sie nicht als Einzelmenschen behandelt. Sie sind hier nicht einzeln. Sie haben hier keine besonderen Kennzeichen. Sie haben keine besonderen Physiognomien. Sie sind hier kein Individuum. Sie haben keine Charakteristiken. Sie haben kein Schicksal. Sie haben keine Geschichte. Sie haben keine Vergangenheit. Sie sind kein Steckbrief. Sie haben keine Lebenserfahrung. Sie haben hier Theatererfahrung. Sie haben das gewisse Etwas. Sie sind Theaterbesucher. Sie interessieren nicht wegen Ihrer Eigenschaften. Sie interessieren in Ihrer Eigenschaft als Theaterbesucher. Sie bilden hier als Theaterbesucher ein Muster. Sie sind keine Persönlichkeiten. Sie sind keine Einzahl. Sie sind eine Mehrzahl von Personen. Ihre Gesichter zeigen in eine Richtung. Sie sind ausgerichtet. Ihre Ohren hören dasselbe. Sie sind ein Ereignis. Sie sind das Ereignis.

Sie werden von uns gemustert. Sie bilden aber kein Bild. Sie sind nicht symbolisch. Sie sind ein Ornament. Sie sind ein Muster. Sie haben Merkmale, die alle hier haben. Sie haben allgemeine Merkmale. Sie sind eine Gattung. Sie bilden ein Muster. Sie tun das gleiche und Sie tun das gleiche nicht: Sie schauen in eine Richtung. Sie stehen nicht auf und schauen nicht in verschiedene Richtungen. Sie sind ein Muster und Sie haben ein Muster. Sie haben eine Mustervorstellung, mit der Sie hierher ins Theater gekommen sind. Sie haben die Mustervorstellung, daß hier oben ist und daß bei Ihnen unten ist. Sie haben die Vorstellung von zwei Welten. Sie haben die Mustervorstellung von der Welt des Theaters.

Jetzt brauchen Sie dieses Muster nicht. Sie wohnen hier keinem Theaterstück bei. Sie wohnen nicht bei. Sie sind im Blickpunkt. Sie sind im Brennpunkt. Sie werden angefeuert. Sie können Feuer fangen. Sie brauchen kein Muster. Sie sind das Muster. Sie sind entdeckt. Sie sind die Entdeckung des Abends. Sie feuern uns an. Unsere Worte entzünden sich an Ihnen. Von Ihnen springt der Funke über zu uns.

Dieser Raum täuscht keinen Raum vor. Die offene Seite zu Ihnen ist nicht die vierte Wand eines Hauses. Hier braucht die Welt nicht aufgeschnitten zu werden. Sie sehen hier keine Türen. Sie sehen nicht die zwei Türen der alten Dramen. Sie sehen nicht die Hintertür, durch die der, der nicht gesehen werden soll, hinausschlüpfen kann. Sie sehen nicht die Vordertür, durch die der hereinkommt, der den sehen will, der nicht gesehen werden soll. Es gibt keine Hintertür. Es gibt auch nicht keine Tür wie in neueren Dramen. Die Abwesenheit einer Tür stellt nicht die Abwesenheit einer Tür dar. Hier ist keine andere Welt. Wir tun nicht so, als ob Sie nicht anwesend wären. Sie sind nicht Luft für uns. Sie sind für uns lebenswichtig, weil Sie anwesend sind. Wir sprechen gerade um Ihrer Anwesenheit willen. Ohne Ihre Anwesenheit würden wir ins Leere sprechen. Sie sind nicht stillschweigend vorausgesetzt. Sie sind nicht die stillschweigend vorausgesetzten Lauscher hinter der Wand. Sie spähen nicht durch ein Schlüsselloch. Wir tun nicht so, als ob wir allein auf der Welt wären. Wir explizieren uns nicht voreinander, um dadurch nur Sie aufzuklären. Wir veranstalten nicht zu Ihrer Aufklärung eine Mauerschau. Wir brauchen keine Kunstgriffe, um Sie aufzuklären. Wir brauchen keine Kunstgriffe. Wir brauchen nicht theaterwirksam zu sein. Wir haben keine Auftritte, wir haben keine Abgänge, wir sprechen nicht beiseite zu Ihnen. Wir erzählen

Ihnen nichts. Kein Dialog bahnt sich an. Wir stehen nicht im Dialog. Wir stehen auch nicht im Dialog mit Ihnen. Wir wollen mit ihnen in keinen Dialog treten. Sind sind keine Mitwisser. Sie sind keine Augenzeugen eines Geschehens. Wir führen keine Seitenhiebe gegen Sie. Sie brauchen nicht mehr apathisch zu sein. Sie brauchen nicht mehr tatenlos zuzuschauen. Es geschehen hier keine Taten. Sie empfinden das Unbehagen derer, die angeschaut und angesprochen werden, wenn Sie von vorneherein bereit waren, selber im Dunkeln zu schauen und es sich behaglich zu machen. Ihre Anwesenheit ist offen in jedem Augenblick in unseren Worten inbegriffen. Sie wird behandelt, von einem Atemzug zum andern, von einem Augenblick zum andern, von einem Wort zum andern. Ihre Vorstellung vom Theater ist keine stillschweigende Voraussetzung mehr für unser Handeln. Sie sind weder zum Zuschaun verurteilt noch zum Zuschauen freigestellt. Sie sind das Thema. Sie sind die Spielmacher. Sie sind unsere Gegenspieler. Es wird auf Sie abgezielt. Sie sind die Zielscheibe unserer Worte. Sie dienen zu Zielscheiben. Das ist eine Metapher. Sie dienen als Zielscheiben unserer Metaphern. Sie dienen zu Metaphern.

Von den beiden Polen hier sind Sie der ruhende Pol. Sie befinden sich im Zustand der Ruhe. Sie befinden sich im Zustand der Erwartung. Sie sind hier keine Subjekte. Sie sind hier Objekte. Sie sind die Objekte unserer Worte. Aber Sie sind auch Subjekte.

Hier gibt es keine Pausen. Hier sind die Pausen zwischen den Worten ohne Bedeutung. Hier sind die unausgesprochenen Worte ohne Bedeutung. Es gibt keine unausgesprochenen Worte. Das Schweigen sagt nichts aus. Es gibt keine schreiende Stille. Es gibt keine stille Stille. Es gibt keine Totenstille. Hier wird durch das Sprechen kein Schweigen erzeugt. In dem Stück steht keine Anweisung, die uns zu schweigen heißt. Wir machen keine Kunstpausen. Unsere Pausen sind natürliche Pausen.

Unsere Pausen sind nicht beredt wie das Schweigen. Wir sagen nichts durch das Schweigen. Zwischen unseren Worten tut sich kein Abgrund auf. Es gibt keine Ritzen zwischen unseren Worten. Sie können nicht zwischen den Punkten lesen. Sie können nichts von unseren Gesichtern ablesen. Unsere Gesten sagen nichts an, was zur Sache gehört. Hier wird nicht das Unsagbare durch das Schweigen gesagt. Hier gibt es keine beredten Blicke und Gesten. Hier ist das Verstummen und das Stummsein kein Kunstmittel. Hier gibt es keine stummen Buchstaben. Hier gibt es nur das stumme H. Das ist eine Pointe.

Sie haben sich bereits Ihre eigenen Gedanken gemacht. Sie haben erkannt, daß wir etwas verneinen. Sie haben erkannt, daß wir uns wiederholen. Sie haben erkannt, daß wir uns widersprechen. Sie haben erkannt, daß dieses Stück eine Auseinandersetzung mit dem Theater ist. Sie haben die dialektische Struktur dieses Stückes erkannt. Sie haben einen gewissen Widerspruchsgeist erkannt. Sie sind sich klar geworden über die Absicht des Stückes. Sie haben erkannt, daß wir vornehmlich verneinen. Sie haben erkannt, daß wir uns wiederholen. Sie erkennen. Sie durchschauen. Sie haben sich noch keine Gedanken gemacht. Sie haben die dialektische Struktur dieses Stückes noch nicht durchschaut. Jetzt durchschauen Sie. Ihre Gedanken sind um einen Gedanken zu langsam gewesen. Jetzt haben Sie Hintergedanken.

Sie sehen bezaubernd aus. Sie sehen berückend aus. Sie sehen blendend aus. Sie sehen atemberaubend aus. Sie sehen einmalig aus.

Aber Sie sind nicht abendfüllend. Sie sind kein hübscher Einfall. Sie ermüden. Sie sind kein dankbares Thema. Sie sind ein dramaturgischer Fehlgriff. Sie sind nicht lebensecht. Sie sind nicht theaterwirksam. Sie versetzen uns in keine andere Welt. Sie bezaubern uns nicht. Sie blenden uns nicht. Sie unterhalten uns nicht köstlich. Sie sind nicht spielfreudig. Sie sind nicht springlebendig. Sie haben keine Theaterpranken. Sie haben kein Gespür für das Theater. Sie haben nichts zu sagen. Ihr Debut ist nicht überzeugend. Sie sind nicht *da.* Sie lassen uns die Zeit nicht vergessen. Sie sprechen nicht den Menschen an. Sie lassen uns kalt.

Das ist kein Drama. Hier wird keine Handlung wiederholt, die schon geschehen ist. Hier gibt es nur ein Jetzt und ein Jetzt und ein Jetzt. Das ist kein Lokalaugenschein, bei dem eine Tat wiederholt wird, die einmal wirklich geschehen ist. Hier spielt die Zeit keine Rolle. Wir spielen keine Handlung, also spielen wir keine Zeit. Hier ist die Zeit wirklich, indem sie von einem Wort zum andern vergeht. Hier flieht die Zeit in den Worten. Hier wird nicht vorgegeben, daß die Zeit wiederholt werden kann. Hier kann kein Spiel wiederholt werden und zur gleichen Zeit spielen wie zuvor. Hier ist die Zeit I h r e Zeit. Hier ist der Zeitraum I h r Zeitraum. Hier können Sie die Zeit mit der unsern vergleichen. Hier ist die Zeit kein Strick mit zwei Enden. Das ist kein Lokalaugenschein. Hier wird nicht vorgegeben, daß die Zeit wiederholt werden kann. Hier ist der Nabelstrick zu Ihrer Zeit nicht abgeschnitten. Hier ist die Zeit aus dem Spiel. Hier ist es Ernst mit der Zeit. Hier wird zugegeben, daß sie vergeht, von einem Wort zum andern. Hier wird zugegeben, daß dies I h r e Zeit ist. Hier können Sie die Zeit von Ihren Uhren ablesen. Hier herrscht keine andere Zeit. Hier ist die Zeit Herrscherin, die nach Ihrem Atem gemessen wird. Hier richtet sich die Zeit nach Ihnen. Wir messen die Zeit nach Ihren Atemzügen, nach Ihrem Wimpernzucken, nach Ihren Pulsschlägen, nach Ihrem Zellenwachstum. Hier vergeht die Zeit von Augenblick zu Augenblick. Die Zeit wird nach Augenblicken gemessen. Die Zeit wird nach I h r e n Augenblicken gemessen. Die Zeit geht durch Ihren Magen. Hier ist die Zeit nicht wiederholbar wie im Lokalaugenschein der Theatervorstellung. Das ist keine Vorstellung: Sie brauchen sich nichts vorzustellen. Hier ist die

Zeit kein Strick mit zwei Enden. Hier ist die Zeit nicht von der Außenwelt abgeschnitten. Hier gibt es nicht zwei Ebenen der Zeit. Hier gibt es keine zwei Welten. Während wir hier sind, dreht sich die Erde. Unsere Zeit hier oben ist Ihre Zeit dort unten. Sie vergeht von einem Wort zum andern. Sie vergeht, während wir, wir und Sie, atmen, während unsere Haare wachsen, während wir Schweiß absondern, während wir riechen, während wir hören. Sie ist unwiederholbar, auch wenn wir unsere Worte wiederholen, auch wenn wir wieder davon sprechen, daß unsere Zeit die Ihre ist, daß sie von einem Wort zum andern vergeht, während wir, wir und sie, atmen, während unsere Haare wachsen, während wir Schweiß absondern, während wir riechen, während wir hören. Wir können nichts wiederholen, die Zeit vergeht schon. Sie ist unwiederholbar. Jeder Augenblick ist historisch. Jeder Augenblick von Ihnen ist ein historischer Augenblick. Wir können unsere Worte nicht zweimal sagen. Das ist kein Lokalaugenschein. Wir können nicht noch einmal das gleiche tun. Wir können nicht die gleichen Gesten wiederholen. Wir können nicht das gleiche reden. Die Zeit vergeht uns auf den Lippen. Die Zeit ist unwiederholbar. Die Zeit ist kein Strick. Das ist kein Lokalaugenschein. Das Vergangene wird nicht vergegenwärtigt. Die Vergangenheit ist tot und begraben. Wir brauchen keine Puppen, die die tote Zeit verkörpern. Das ist kein Puppenspiel. Das ist kein Unernst. Das ist kein Spiel. Das ist kein Ernst. Sie erkennen den Widerspruch. Die Zeit dient hier zum Wortspiel.

Das ist kein Manöver. Das ist keine Übung für den Ernstfall. Niemand braucht sich hier tot zu stellen. Niemand braucht sich hier lebendig zu stellen. Hier ist nichts gestellt. Die Zahl der Verwundeten ist nicht vorgeschrieben. Das Ergebnis steht nicht auf dem Papier fest. Hier gibt es kein Ergebnis. Niemand braucht sich hier zu stellen. Wir stellen nichts anderes dar als wir sind. Wir stellen an uns keinen anderen Zustand dar, als den, in dem wir uns jetzt und hier befinden.

Das ist kein Manöver. Wir spielen nicht uns selber in anderen Lagen. Es ist an keinen Ernstfall gedacht. Wir brauchen nicht unseren Tod darzustellen. Wir brauchen nicht unser Leben darzustellen. Wir spielen nicht im voraus, was und wie wir sein werden. Wir vergegenwärtigen im Spiel keine Zukunft. Wir stellen keine andere Zeit dar. Wir spielen keinen Ernstfall. Wir sprechen, während die Zeit vergeht. Wir sprechen davon, daß die Zeit vergeht. Wir sprechen vom Vergehen der Zeit. Wir tun nicht so als ob. Wir tun weder so, als ob wir die Zeit wiederholen, noch so, als ob wir die Zeit vorwegnehmen könnten. Das ist weder ein Lokalaugenschein noch ein Manöver. Andrerseits tun wir als ob. Wir tun, als ob wir Worte wiederholen könnten. Wir wiederholen uns scheinbar. Hier ist die Welt des Scheins. Hier ist Schein Schein. Schein ist hier Schein.

Sie stellen etwas dar. Sie sind jemand. Hier sind Sie etwas. Hier sind Sie nicht jemand, sondern etwas. Sie sind eine Gesellschaft, die eine Ordnung bildet. Sie sind eine Theatergesellschaft. Sie sind eine Ordnung durch die Beschaffenheit Ihrer Kleidung, durch die Haltung Ihrer Körper, durch die Richtung Ihrer Blicke. Die Farben Ihrer Kleidung schlagen sich nicht mit den Farben Ihrer Sitzgelegenheiten. Sie bilden auch eine Ordnung mit den Sitzgelegenheiten. Sie sind hier verkleidet. Sie beachten durch Ihre Kleidung eine Ordnung. Sie verkleiden sich. Indem Sie sich verkleiden, zeigen Sie, daß Sie etwas tun, was nicht alltäglich ist. Sie betreiben einen Mummenschanz, um einem Mummenschanz beizuwohnen. Sie wohnen bei. Sie schauen. Sie starren. Indem Sie schauen, erstarren Sie. Die Sitzgelegenheiten begünstigen diesen Vorgang. Sie sind etwas, das schaut. Sie brauchen Platz für Ihre Augen. Ist der Vorhang zu, bekommen Sie allmählich Platzangst. Sie haben keinen Blickpunkt. Sie fühlen sich eingekreist. Sie fühlen sich befangen. Das Aufgehen des Vorhangs vertreibt nur die Platzangst. Deshalb erleichtert es Sie. Sie können schauen. Ihr Blick wird frei. Sie werden unbefangen.

Sie können beiwohnen. Sie sind nicht mitten drin wie beim geschlossenen Vorhang. Sie sind nicht mehr jemand. Sie werden etwas. Sie sind nicht mehr mit sich allein. Sie sind nicht mehr sich selber überlassen. Sie sind nur noch dabei. Sie sind ein Publikum. Das erleichtert Sie. Sie können beiwohnen.

Hier oben gibt es jetzt keine Ordnung. Es gibt keine Dinge, die Ihnen eine Ordnung zeigen. Die Welt ist hier weder heil noch aus den Fugen. Das ist keine Welt. Die Requisiten haben hier keinen Platz. Ihre Stellung auf der Bühne ist nicht vorgezeichnet. Weil sie nicht vorgezeichnet ist, gibt es hier oben jetzt keine Ordnung. Es gibt keine Kreidezeichen für den Standpunkt der Dinge. Es gibt keine Gedächtnisstützen für den Standpunkt der Personen. Im Gegensatz zu Ihnen und Ihren Sitzgelegenheiten ist hier nichts an seinem Ort. Die Dinge haben hier keine Orte, die festgesetzt sind wie die Orte Ihrer Sitzgelegenheiten dort unten. Diese Bühne ist keine Welt, so wie die Welt keine Bühne ist.

Hier hat auch nicht jedes Ding seine Zeit. Kein Ding hat hier seine Zeit. Hier hat kein Ding seine festgesetzte Zeit, zu der es als Requisit dient oder zu der es im Weg stehen muß. Hier werden die Dinge nicht benutzt. Hier wird nicht so getan, als ob die Gegenstände benutzt würden. Hier *sind* die Gegenstände nützlich.

Sie stehen nicht. Sie benützen die Sitzgelegenheiten. Sie sitzen. Da Ihre Sitzgelegenheiten ein Muster bilden, bilden auch Sie ein Muster. Es gibt keine Stehplätze. Der Kunstgenuß ist für Leute, die sitzen, wirksamer als für Leute, die stehen. Deshalb sitzen Sie. Sie sind freundlicher, wenn Sie sitzen. Sie sind empfänglicher. Sie sind aufgeschlossener. Sie sind duldsamer. Sie sind im Sitzen gelassener. Sie sind demokratischer. Sie langweilen sich weniger. Die Zeit wird Ihnen weniger lang. Sie lassen mehr mit sich geschehen. Sie sind hellsichtiger. Sie werden weniger abgelenkt. Sie vergessen eher Ihre Umwelt.

Die Welt versinkt eher um sie. Sie werden einander ähnlicher. Sie verlieren Ihre Eigenschaften. Sie verlieren die Merkmale, die Sie voneinander unterscheiden. Sie werden eine Einheit. Sie werden ein Muster. Sie werden eins. Sie verlieren Ihr Selbstbewußtsein. Sie werden Zuschauer. Sie werden Zuhörer. Sie werden apathisch. Sie werden Augen und Ohren. Sie vergessen auf die Uhr zu schauen. Sie vergessen sich.

Im Stehen könnten Sie besser als Zwischenrufer wirken. Gemäß der Anatomie des Körpers könnten Ihre Zwischenrufe im Stehen kräftiger sein. Sie könnten besser die Fäuste ballen. Sie könnten Ihren Widerspruchsgeist zeigen. Sie hätten größere Bewegungsfreiheit. Sie müßten weniger gesittet sein. Sie könnten von einem Bein auf das andere treten. Sie könnten sich Ihres Körpers eher bewußt werden. Ihr Kunstgenuß würde geschmälert werden. Sie würden kein Muster mehr bilden. Sie würden Ihre Starre verlieren. Sie würden Ihre Geometrie verlieren. Sie würden mehr die Ausdünstungen der Körper neben Ihnen riechen. Sie könnten mehr durch Anstoßen Ihre übereinstimmenden Meinungen zeigen. Im Stehen würde nicht die Trägheit der Körper Sie vom Gehen abhalten. Im Stehen wären Sie individueller. Sie wären standhafter gegen das Theater. Sie würden sich weniger Illusionen machen. Sie würden sich mehr Illusionen machen. Sie würden mehr unter der Gedankenflucht leiden. Sie wären mehr außenstehend. Sie könnten sich mehr sich selber überlassen. Sie könnten sich weniger gut dargestellte Vorgänge als wirklich vorstellen. Die Vorgänge hier wären Ihnen weniger wirklichkeitsnah. Im Stehen könnten sie sich zum Beispiel weniger gut ein auf der Bühne dargestelltes Sterben als wirklich vorstellen. Sie wären weniger starr. Sie ließen sich weniger bannen. Sie ließen sich weniger vormachen. Sie würden sich mit Ihrer Eigenschaft als bloßer Zuschauer nicht abfinden. Sie könnten zwiespältiger sein. Sie könnten mit Ihren Gedanken an zwei Orten zugleich sein. Sie könnten in zwei Zeiträumen leben.

Wir wollen Sie nicht anstecken. Wir wollen Sie zu keiner Kundgebung von Gefühlen anstecken. Wir spielen keine Gefühle. Wir verkörpern keine Gefühle. Wir lachen nicht, wir weinen nicht. Wir wollen Sie nicht durch das Lachen zum Lachen anstecken oder durch das Lachen zum Weinen oder durch das Weinen zum Lachen oder durch das Weinen zum Weinen. Obwohl das Lachen ansteckender ist als das Weinen, stecken wir sie nicht durch das Lachen zum Lachen an. Undsoweiter. Wir spielen nicht. Wir spielen nichts. Wir modulieren nicht. Wir gestikulieren nicht. Wir äußern uns durch nichts als durch Worte. Wir sprechen nur. Wir äußern. Wir äußern nicht uns, sondern die Meinung des Autors. Wir äußern uns, indem wir sprechen. Unser Sprechen ist unser Handeln. Indem wir sprechen, werden wir theatralisch. Wir sind theatralisch, weil wir in einem Theater sprechen. Indem wir immer zu Ihnen sprechen und indem wir zu Ihnen von der Zeit sprechen, von jetzt und von jetzt und von jetzt, beachten wir die Einheit von Zeit, Ort und Handlung. Diese Einheit aber beachten wir nicht nur hier auf der Bühne. Da die Bühne keine eigene Welt ist, beachten wir sie auch unten bei Ihnen. Wir und Sie bilden eine Einheit, indem wir ununterbrochen und unmittelbar zu I h n e n sprechen. Statt Sie könnten wir also unter bestimmten Voraussetzungen auch wir sagen. Das bedeutet die Einheit der Handlung. Die Bühne hier oben und der Zuschauerraum bilden eine Einheit, indem sie nicht mehr zwei Ebenen bilden. Es gibt keinen Strahlungsgürtel. Es gibt hier nicht zwei Orte. Hier gibt es nur einen Ort. Das bedeutet die Einheit des Ortes. Ihre Zeit, die Zeit der Zuschauer und Zuhörer, und unsere Zeit, die Zeit der Sprecher, bilden eine Einheit, indem hier keine andere Zeit als die Ihre abläuft. Hier gibt es nicht die Zweiteilung in eine gespielte Zeit und in eine Spielzeit. Hier wird die Zeit nicht gespielt. Hier gibt es nur die wirkliche Zeit. Hier gibt es nur die Zeit, die wir, wir und Sie, am eigenen Leibe erfahren. Hier gibts es nur e i n e Zeit. Das bedeutet die Einheit der Zeit. Alle drei erwähnten Umstände zusammen bedeuten die Einheit von Zeit, Ort und Handlung. Dieses Stück ist also klassisch.

Dadurch, daß wir zu Ihnen sprechen, können Sie sich Ihrer bewußt werden. Weil wir Sie ansprechen, gewinnen Sie an Selbstbewußtsein. Sie werden sich bewußt, daß Sie sitzen. Sie werden sich bewußt, daß sie in einem Theater sitzen. Sie werden sich Ihrer Gliedmaßen bewußt. Sie werden sich der Lage Ihrer Gliedmaßen bewußt. Sie werden sich Ihrer Finger bewußt. Sie werden sich Ihrer Zungen bewußt. Sie werden sich Ihres Rachens bewußt. Sie werden sich der Schwere Ihres Kopfes bewußt. Sie werden sich Ihrer Geschlechtsorgane bewußt. Sie werden sich des Zuckens Ihrer Augenlider bewußt. Sie werden sich Ihrer Schluckbewegungen bewußt. Sie werden sich des Rinnens Ihres Speichels bewußt. Sie werden sich Ihres Herzschlags bewußt. Sie werden sich des Hebens Ihrer Augenbrauen bewußt. Sie werden sich des Kribbelns Ihrer Kopfhaut bewußt. Sie werden sich Ihrer Juckreize bewußt. Sie werden sich Ihrer Schweißausbrüche unter den Achseln bewußt. Sie werden sich des Schwitzens Ihrer Hände bewußt. Sie werden sich der Trockenheit Ihrer Hände bewußt. Sie werden sich des durch Mund und Nase aus- und eingehenden Atems bewußt. Sie werden sich des Eintritts unserer Worte in die Ohren bewußt. Sie werden geistesgegenwärtig.

Versuchen Sie, nicht mit den Wimpern zu zucken. Versuchen Sie, nicht mehr zu schlucken. Versuchen Sie, die Zunge nicht mehr zu bewegen. Versuchen sie, nichts mehr zu hören. Versuchen Sie, nichts mehr zu riechen. Versuchen Sie, keinen Speichel mehr zu sammeln. Versuchen Sie, nicht mehr zu schwitzen. Versuchen Sie, sich auf Ihrem Platz nicht mehr zu bewegen. Versuchen Sie, nicht mehr zu atmen.

Sie atmen ja. Sie sammeln ja Speichel. Sie hören ja zu. Sie riechen ja. Sie schlucken ja. Sie zucken ja mit den Wimpern. Sie stoßen ja auf. Sie schwitzen ja. Sie haben ja ein großes Selbstbewußtsein.

Blinzeln Sie nicht. Sammeln Sie keinen Speichel. Zucken Sie nicht mit den Wimpern. Ziehen Sie nicht den Atem ein. Stoßen Sie nicht den Atem aus. Bewegen Sie sich nicht mehr auf Ihrem Platz. Hören Sie uns nicht zu. Riechen Sie nicht. Schlucken Sie nicht. Halten Sie den Atem an.

Schlucken Sie. Sammeln Sie Speichel. Blinzeln Sie. Hören Sie. Atmen Sie.

Sie sind sich jetzt Ihrer Gegenwart bewußt. Sie wissen, daß es Ihre Zeit ist, die Sie hier verbringen. Sie sind das Thema. Sie schürzen den Knoten. Sie lösen den Knoten. Sie sind der Mittelpunkt. Sie sind die Anlässe. Sie sind die Ursachen. Sie sind das auslösende Moment. Sie dienen hier zu Worten. Sie sind die Spielmacher und die Gegenspieler. Sie sind die jugendlichen Komiker, Sie sind die jugendlichen Liebhaber, Sie sind die Naiven, Sie sind die Sentimentalen. Sie sind die Salondamen. Sie sind die Charakterdarsteller, Sie sind die Bonvivants und die Helden. Sie sind die Helden und Bösewichte. Sie sind die Bösewichte und Helden dieses Stücks.

Bevor Sie hierhergegangen sind, haben Sie die gewissen Vorkehrungen getroffen. Sie sind mit gewissen Vorstellungen hierhergekommen. Sie sind ins Theater gegangen. Sie haben sich darauf vorbereitet, ins Theater zu gehen. Sie haben gewisse Erwartungen gehabt. Sie sind mit den Gedanken der Zeit vorausgeeilt. Sie haben sich etwas vorgestellt. Sie haben sich auf etwas eingerichtet. Sie haben sich darauf eingerichtet, bei etwas dabeizusein. Sie haben sich darauf eingerichtet, Platz zu nehmen, auf dem gemieteten Platz zu sitzen und etwas beizuwohnen. Sie haben vielleicht von dem Stück hier gehört. Sie haben also Vorkehrungen getroffen und sich auf etwas gefaßt gemacht. Sie haben die Dinge auf sich zukommen lassen. Sie sind bereit gewesen zu sitzen und sich etwas bieten zu lassen.

Ihr Atem ist noch verschieden von dem unsern gewesen. Sie haben auf verschiedene Arten Ihre Toilette gemacht. Sie haben sich auf verschiedene Arten in Bewegung gesetzt. Sie haben sich aus verschiedenen Richtungen diesem Ort hier genähert. Sie haben die öffentlichen Verkehrsmittel benutzt. Sie sind zu Fuß gegangen. Sie sind mit dem eigenen Verkehrsmittel gefahren. Zuvor hatten Sie auf Uhren geschaut. Sie hatten Anrufe erwartet, Sie hatten Hörer abgehoben, Sie hatten Lichter angedreht, Sie hatten Lichter abgedreht, Sie hatten Türen geschlossen, Sie hatten Schlüssel gedreht, Sie waren ins Freie getreten. Sie haben die Beine bewegt. Sie haben die Arme beim Gehen auf und ab fallen lassen. Sie sind gegangen. Sie sind aus verschiedenen Richtungen alle in eine Richtung gegangen. Mit Ihrem Ortsinn haben Sie hierhergefunden.

Sie haben sich durch Ihre Absicht von anderen unterschieden, die nach anderen Orten unterwegs waren. Sie haben sich durch Ihre Absicht von anderen unterschieden, die nach anderen Orten unterwegs waren. Sie haben schon durch Ihre Absicht mit den andern, die hierher unterwegs waren, eine Einheit gebildet. Sie haben das gleiche Ziel gehabt. Sie haben für eine bestimmte Zeit eine gemeinsame Zukunft mit andern vor sich gehabt.

Sie haben Verkehrslinien überquert. Sie haben nach links und nach rechts geschaut. Sie haben die Verkehrszeichen beachtet. Sie haben anderen zugenickt. Sie sind stehengeblieben. Sie haben Auskünfte über Ihr Ziel gegeben. Sie haben von Ihrer Erwartung erzählt. Sie haben Ihre Vermutungen über das Stück mitgeteilt. Sie haben Ihre Meinung über das Stück gesagt. Sie haben sich Meinungen über das Stück sagen lassen. Sie haben Hände geschüttelt. Sie haben sich Vergnügen wünschen lassen. Sie haben Schuhe abgestreift. Sie haben Türen aufgehalten. Sie haben sich Türen aufhalten lassen. Sie haben andere Theaterbesucher getroffen. Sie haben sich als Mitwisser gefühlt. Sie haben Höflichkeitsregeln beachtet. Sie haben aus dem Mantel geholfen. Sie haben sich aus dem Mantel helfen lassen. Sie sind herumgestanden. Sie sind herumgegangen. Sie haben die Klingelsignale gehört. Sie sind unruhig geworden. Sie haben sich in Spiegeln gesehen. Sie haben Ihre Toiletten überprüft. Sie haben Seitenblicke geworfen. Sie haben Seitenblicke gemerkt. Sie sind gegangen. Sie sind geschritten. Ihre Bewegungen sind formeller geworden. Sie haben die Klingelsignale gehört. Sie haben auf Uhren geschaut. Sie sind Verschwörer geworden. Sie haben Platz genommen. Sie haben um sich geschaut. Sie haben sich zurechtgesetzt. Sie haben die Klingelsignale gehört. Sie haben zu plaudern aufgehört. Sie haben die Blicke ausgerichtet. Sie haben die Gesichter gehoben. Sie haben Atem geholt. Sie haben das Licht schwinden sehen. Sie sind verstummt. Sie haben das Schließen der Türen gehört. Sie haben auf den Vorhang gestarrt. Sie haben gewartet. Sie sind starr geworden. Sie haben sich nicht mehr bewegt. Dafür hat sich der Vorhang zu bewegen begonnen. Sie haben das Schleifen des Vorhangs gehört. Er hat Ihrem Blick die Bühne frei gegeben. Alles ist wie immer gewesen. Ihre Erwartungen sind nicht enttäuscht worden. Sie sind bereit gewesen. Sie haben sich in Ihren Sitzen zurückgelehnt. Das Spiel hat beginnen können.

Sie waren auch sonst bereit. Sie waren eingespielt. Sie lehnten sich in Ihren Sitzen zurück. Sie nahmen wahr. Sie folgten. Sie verfolgten. Sie ließen geschehen. Sie ließen hier oben etwas geschehen, was längst schon geschehen war. Sie schauten der Vergangenheit zu, die in Dialogen und Monologen eine Gegenwart vortäuschte. Sie ließen sich vor vollendete Tatsachen stellen. Sie ließen sich gefangennehmen. Sie ließen sich bannen. Sie vergaßen, wo Sie waren. Sie vergaßen die Zeit. Sie wurden starr und Sie blieben starr. Sie bewegten sich nicht. Sie handelten nicht. Sie kamen nicht einmal nach vorne, um besser zu sehen. Sie folgten keinem natürlichen Antrieb. Sie schauten zu, wie Sie einem Lichtstrahl zuschauen, der schon längst, bevor Sie schauen, erzeugt worden ist. Sie schauten in einen toten Raum. Sie schauten auf tote Punkte. Sie erlebten eine tote Zeit. Sie hörten eine tote Sprache. Sie befanden sich selber in einem toten Raum und in einer toten Zeit. Es herrschte Windstille. Kein Lüftchen regte sich. Sie bewegten sich nicht. Sie starrten. Die Strecke zwischen Ihnen und uns war unendlich. Wir waren unendlich von Ihnen entfernt. Wir bewegten uns in unendlicher Ferne von Ihnen. Wir hatten unendlich vor Ihnen gelebt. Wir lebten hier oben auf der Bühne vor jeder Zeit. Ihre Blicke und unsere Blicke trafen sich im Unendlichen. Ein unendlicher Zwischenraum war zwischen uns. Wir spielten. Aber wir spielten nicht mit Ihnen. Sie sind hier immer die Nachwelt gewesen.

Hier wurde gespielt. Hier wurde Sinn gespielt. Hier wurde Unsinn mit Bedeutung gespielt. Die Spiele hier hatten einen Hintergrund und einen Untergrund. Sie waren doppelbödig. Sie waren nicht das, was sie waren. Sie waren nicht das, was sie schienen. Es war bei ihnen etwas dahinter. Die Dinge und Handlungen schienen zu sein, aber sie waren nicht. Sie schienen so zu sein, wie sie schienen, aber sie waren anders. Sie schienen nicht zu scheinen wie in einem reinen Spiel, sie schienen *zu sein*. Sie schienen Wirklichkeit zu sein. Die Spiele hier waren nicht Zeitvertreib, oder sie waren nicht Zeitvertreib allein. Sie waren Bedeutung. Sie waren nicht zeitlos wie die reinen Spiele, in ihnen verging eine unwirkliche Zeit. Die offensichtliche Bedeutungslosigkeit mancher Spiele machte gerade ihre versteckte Bedeutung aus. Selbst die Späße der Spaßmacher hatten auf diesen Brettern eine tiefere Bedeutung. Immer gab es einen Hinterhalt. Immer lauerte etwas zwischen Worten, Gesten und Requisiten und wollte Ihnen etwas bedeuten. Immer war etwas zweideutig und mehrdeutig. Immer ging etwas vor sich. Es geschah etwas im Spiel, was von Ihnen als wirklich gedacht werden sollte. Immer geschahen Geschichten. Eine gespielte und unwirkliche Zeit ging vor sich. Das, was Sie sahen und hörten, sollte nicht nur das sein, was Sie sahen und hörten. Es sollte das sein, was Sie nicht sahen und nicht hörten. Alles war gemeint. Alles sagte aus. Auch was vorgab, nichts auszusagen, sagte aus, weil etwas, das auf dem Theater vor sich geht, etwas aussagt. Alles Gespielte sagte etwas Wirkliches aus. Es wurde nicht um des Spiels, sondern um der Wirklichkeit willen gespielt. Sie sollten hinter dem Spiel eine gespielte Wirklichkeit entdecken. Sie sollten etwas heraushören. Nicht ein Spiel wurde gespielt, eine Wirklichkeit wurde gespielt. Die Zeit wurde gespielt. Da die Zeit gespielt wurde, wurde die Wirklichkeit gespielt. Das Theater spielte Tribunal. Das Theater spielte Arena. Das Theater spielte moralische Anstalt. Das Theater spielte Träume. Das Theater spielte kultische Handlungen. Das Theater spielte einen Spiegel für Sie. Das Spiel ging über das Spiel hinaus. Es deutete auf die Wirklichkeit. Es wurde unrein. Es bedeutete. Statt daß die Zeit aus dem Spiel geblieben wäre, spielte sich eine unwirkliche und unwirksame Zeit ab. Mit der unwirklichen Zeit spielte sich eine unwirkliche Wirklichkeit ab. Sie war nicht da, sie wurde Ihnen nur bedeutet, sie spielte sich ab. Hier geschah weder Wirklichkeit noch Spiel. Wäre ein reines Spiel gespielt worden, so hätte man die Zeit außer acht lassen können. In einem reinen Spiel gibt es keine Zeit. Da aber eine Wirklichkeit gespielt wurde, wurde auch die zugehörige Zeit nur gespielt. Wäre hier ein reines Spiel gespielt worden, so hätte es hier nur die Zeit der Zuschauer gegeben. Da hier aber die Wirklichkeit im Spiel war, gab es hier immer zwei Zeiten, Ihre Zeit, die Zeit der Zuschauer, und die gespielte Zeit, die scheinbar die wirkliche war. Aber die Zeit läßt sich nicht spielen. Sie läßt sich in keinem Spiel wiederholen. Die Zeit ist unwiederbringlich. Die Zeit ist unwiderstehlich. Die Zeit ist unspielbar. Die Zeit *ist* wirklich. Sie kann nicht als wirklich *gespielt* werden. Da die Zeit nicht gespielt werden kann, kann auch die Wirklichkeit nicht gespielt werden. Nur ein Spiel, in dem die Zeit aus dem Spiel ist, ist ein Spiel. Ein Spiel, in dem die Zeit mitspielt, ist kein Spiel. Nur ein zeitloses Spiel ist ohne Bedeutung. Nur ein zeitloses Spiel ist selbstgenügsam. Nur ein zeitloses Spiel braucht die Zeit nicht zu *spielen*. Nur für ein zeitloses Spiel ist die Zeit ohne Bedeutung. Alle anderen Spiele sind unreine Spiele. Es gibt nur Spiele, in denen es keine Zeit gibt, oder Spiele, in denen die Zeit die wirkliche Zeit ist wie die neunzig Minuten in einem Fußballspiel, bei dem es gleichfalls nur eine Zeit gibt, weil die Zeit der Spieler auch die Zeit der Zuschauer ist. Alle anderen Spiele sind Falschspiele. Alle anderen Spiele spiegeln Ihnen falsche Tatsachen vor. In einem zeitlosen Spiel spiegeln sich keine Tatsachen.

Wir könnten Ihnen ein Zwischenspiel bringen. Wir könnten Ihnen Vorgänge vormachen, die außerhalb dieses Raums in diesen Augenblicken, während dieser Worte, während Ihres Schluckens, während Ihres Wimpernzuckens geschehen. Wir könnten die Statistik bebildern. Wir könnten darstellen, was nach der Statistik an anderen Orten geschieht zu der Zeit, da Sie hier sind. Wir könnten, indem wir sie darstellten, Ihnen diese Vorgänge vergegenwärtigen. Wir könnten sie Ihnen näherbringen. Wir brauchten nichts Vergangenes darzustellen. Wir könnten ein reines Spiel spielen. Wir könnten zum Beispiel irgendeinen nach der Statistik jetzt und jetzt geschehenden Vorgang des Sterbens darstellen. Wir könnten pathetisch werden. Wir könnten den Tod zum Pathos der Zeit erklären, von der wir immerzu sprechen. Der Tod wäre das Pathos dieser wirklichen Zeit, die Sie hierorts versitzen. Zumindest würde dieses Zwischenspiel dem Stück zu einem dramatischen Höhepunkt verhelfen.

Wir machen Ihnen aber nichts vor. Wir machen nichts nach. Wir stellen keine anderen Personen und keine anderen Vorgänge dar, auch wenn sie statistisch erwiesen sind. Wir verzichten auf ein Mienenspiel und auf ein Spiel der Gebärden. Es gibt keine Personen der Handlung und also keine Darsteller. Die Handlung ist nicht frei erfunden, denn es gibt keine Handlung. Weil es keine Handlung gibt, ist auch kein Zufall möglich. Eine Ähnlichkeit mit noch lebenden oder gerade sterbenden oder schon toten Personen ist nicht zufällig, sondern unmöglich. Denn wir stellen nichts dar und wir sind nicht andere als die, die wir sind. Wir spielen nicht einmal uns selber. Wir sprechen. Nichts ist hier erfunden. Nichts ist nachgemacht. Nichts ist Tatsache. Nichts ist Ihrer Phantasie überlassen.

Dadurch, daß wir nicht spielen und nicht spielend handeln, ist dieses Stück halb so komisch und halb so tragisch. Dadurch, daß wir nur sprechen und nicht aus der Zeit herausfallen, können wir Ihnen nichts ausmalen und nichts vorführen. Wir bebildern nichts. Wir beschwören nichts aus der Vergangenheit herauf. Wir setzen uns mit der Vergangenheit nicht auseinander. Wir setzen uns nicht mit der Gegenwart auseinander. Wir nehmen nicht die Zukunft vorweg. Wir sprechen in Gegenwart, Vergangenheit und Zukunft von der Zeit.

Deshalb können wir auch zum Beispiel auch nicht das jetzt und jetzt nach der Statistik geschehende Sterben darstellen. Wir können nicht das jetzt und jetzt geschehende Atemringen vormachen, nicht das Taumeln und Stürzen jetzt, nicht die Verkrampfung, nicht das Blecken der Zähne jetzt, nicht die letzten Worte, nicht das Seufzen jetzt, das statistisch in dieser und in dieser Sekunde geschieht, nicht das letzte Ausatmen, nicht den jetzt und jetzt geschehenden letzten Samenerguß, nicht die Atemlosigkeit, die nach der Statistik jetzt, jetzt eintritt, und jetzt, und jetzt, und jetzt, undsofort, nicht die Bewegungslosigkeit jetzt, nicht die statistisch erfaßbare Starre, nicht das ganz stille Liegen jetzt. Wir können es nicht darstellen. Wir sprechen nur davon. Wir sprechen j e t z t davon.

Dadurch, daß wir nur sprechen und dadurch, daß wir von nichts Erfundenem sprechen, können wir nicht zweideutig und vieldeutig sein. Dadurch, daß wir nichts spielen, kann es hier nicht zwei oder mehrere Ebenen und auch kein Spiel im Spiel geben. Dadurch, daß wir uns nicht gebärden und Ihnen nichts erzählen und nichts darstellen, können wir nicht poetisch sein. Dadurch, daß wir nur zu Ihnen sprechen, verlieren wir die Poesie der Vieldeutigkeit. Wir können zum Beispiel mit den erwähnten Gesten und Mienen des Sterbens nicht auch zugleich die Gesten und Mienen eines statistisch jetzt und jetzt geschehenden Geschlechtsakts zeigen. Wir können nicht zweideutig sein. Wir können auf keinem doppelten Boden spielen. Wir können uns von der Welt nicht abheben. Wir b r a u c h e n nicht poetisch zu sein. Wir brauchen Sie nicht zu hypnotisieren. Wir brauchen Ihnen nichts vorzugaukeln. Wir brauchen nicht scheinzufechten. Wir brauchen keine zweite Natur. Das ist keine Hypnose. Sie brauchen sich nichts vorzustellen. Sie brauchen nicht mit offenen Augen zu träumen. Sie sind mit der Unlogik Ihrer Träume nicht auf die Logik der Bühne angewiesen. Die Unmöglichkeiten Ihrer Träume brauchen sich nicht auf die Möglichkeiten der Bühne zu beschränken. Die Absurdität Ihrer Träume braucht nicht den realen Gesetzen der Bühne zu gehorchen. Deshalb stellen wir weder Traum noch Wirlichkeit dar. Wir reklamieren weder für das Leben noch für das Sterben, weder für die Gesellschaft noch für den einzelnen, weder für das Natürliche noch für das Übernatürliche, weder für eine Lust noch für ein Leid, weder für die Wirklichkeit noch für das Spiel. Die Zeit ruft in uns keine Elegien hervor.

Dieses Stück ist eine Vorrede. Es ist nicht die Vorrede zu einem andern Stück, sondern die Vorrede zu dem, was Sie getan haben, was Sie tun und was Sie tun werden. Sie sind das Thema. Dieses Stück ist die Vorrede zum Thema. Es ist die Vorrede zu Ihren Sitten und Gebräuchen. Es ist die Vorrede zu Ihren Handlungen. Es ist die Vorrede zu Ihrer Tatenlosigkeit. Es ist die Vorrede zu Ihrem Liegen, zu Ihrem Sitzen, zu Ihrem Stehen, zu Ihrem Gehen. Es ist die Vorrede zu den Spielen und zum Ernst Ihres Lebens. Es ist auch die Vorrede zu Ihren künftigen Theaterbesuchen. Es ist auch die Vorrede zu allen anderen Vorreden. Dieses Stück ist Welttheater.

Sie werden sich bald bewegen. Sie werden Vorkehrungen treffen. Sie werden Vorkehrungen treffen, Beifall zu klatschen. Sie werden Vorkehrungen treffen, nicht Beifall zu klatschen. Wenn Sie Vorkehrungen zum ersten treffen, werden sie eine Hand auf die andere schlagen, das heißt, Sie werden die eine Innenfläche auf die andere Innenfläche schlagen und diese Schläge in rascher Abfolge wiederholen. Sie werden dabei Ihren klatschenden oder nicht klatschenden Händen zuschauen können. Sie werden die Laute Ihres Klatschens hören und die Laute des Klatschens neben sich und Sie werden neben und vor sich die im Klatschen auf und ab hüpfenden Hände sehen oder sie werden das erwartete Klatschen nicht hören und die auf und ab hüpfenden Hände nicht sehen. Sie werden dafür vielleicht andere Laute hören und selber andere Laute erzeugen. Sie werden Anstalten treffen aufzustehen. Sie werden die Sitzflächen hinter sich aufklappen hören. Sie werden unsere Verbeugungen sehen. Sie werden den Vorhang zugehen sehen. Sie werden die Geräusche des Vorhangs bei diesem Vorgang benennen können. Sie werden Ihre Programme einstecken. Sie werden Blicke austauschen. Sie werden Worte wechseln. Sie werden sich in Bewegung setzen. Sie werden Bemerkungen machen und Bemerkungen hören. Sie werden Bemerkungen verschweigen. Sie werden vielsagend lächeln. Sie werden nichtssagend lächeln. Sie werden geordnet in die Vorräume drängen. Sie werden die Hinterlegungsscheine für Ihre Garderobe vorweisen. Sie werden herumstehen. Sie werden sich in Spiegeln sehen. Sie werden einander in Mäntel helfen. Sie werden einander Türen aufhalten. Sie werden sich verabschieden. Sie werden begleiten. Sie werden begleitet werden. Sie werden ins Freie treten. Sie werden in den Alltag zurückkehren. Sie werden in verschiedene Richtungen gehen. Wenn Sie zusammenbleiben, werden Sie eine Theatergesellschaft bilden. Sie werden Gaststätten aufsuchen. Sie werden an den morgigen Tag denken. Sie werden allmählich in die Wirklichkeit zurückfinden. Sie werden die Wirklichkeit wieder rauh nennen können. Sie werden ernüchtert werden. Sie werden wieder ein Eigenleben führen. Sie werden keine Einheit mehr sein. Sie werden von e i n e m Ort zu verschiedenen Orten gehen.

Zuvor aber werden Sie noch beschimpft werden.

Sie werden beschimpft werden, weil auch das Beschimpfen eine Art ist, mit Ihnen zu reden. Indem wir beschimpfen, können wir unmittelbar werden. Wir können einen Funken überspringen lassen. Wir können den Spielraum zerstören. Wir können eine Wand niederreißen. Wir können Sie beachten.

Dadurch, daß wir Sie beschimpfen, werden Sie uns nicht mehr zuhören, Sie werden uns a n hören. Der Abstand zwischen uns wird nicht mehr unendlich sein. Dadurch, daß Sie beschimpft werden, wird Ihre Bewegungslosigkeit und Erstarrung endlich am Platz erscheinen. Wir werden aber nicht Sie beschimpfen, wir werden nun Schimpfwörter gebrauchen, die Sie gebrauchen. Wir werden uns in den Schimpfwörtern widersprechen. Wir werden niemanden meinen. Wir werden nur ein Klangbild bilden. Sie brauchen sich nicht betroffen zu fühlen. Weil Sie im voraus gewarnt sind, können Sie bei der Beschimpfung auch abgeklärt sein. Weil schon das Duwort eine Beschimpfung darstellt, werden wir von du zu du sprechen können. Ihr seid das Thema unserer Beschimpfung. Ihr werdet uns anhören, ihr Glotzaugen.

Ihr habt das Unmögliche möglich werden lassen. Ihr seid die Helden dieses Stücks gewesen. Eure Gesten sind sparsam gewesen. Ihr habt eure Figuren plastisch gemacht. Ihr habt unvergeßliche Szenen geliefert. Ihr habt die Figuren nicht gespielt, ihr sei sie g e w e s e n. Ihr wart ein Ereignis. Ihr wart die Entdeckung des Abends. Ihr habt eure Rolle g e l e b t. Ihr hattet den Löwenanteil am Erfolg. Ihr habt das Stück gerettet. Ihr wart sehenswert. Euch muß man gesehen haben, ihr Rotzlecker.

Ihr seid immer dagewesen. Bei dem Stück hat auch euer redliches Bemühen nichts geholfen. Ihr wart nur Stichwortbringer. Bei euch ist das Größte durch Weglassen entstanden. Durch Schweigen habt ihr alles gesagt, ihr Gernegroße.

Ihr wart Vollblutschauspieler. Ihr begannet verheißungsvoll. Ihr wart lebensecht. Ihr wart wirklichkeitsnah. Ihr zoget alles in euren Bann. Ihr spieltet alles an die Wand. Ihr zeugtet von hoher Spielkultur, ihr Gauner, ihr Schrumpfgermanen, ihr Ohrfeigengesichter.

Kein falscher Ton kam von euren Lippen. Ihr beherrschtet jederzeit die Szene. Euer Spiel war von seltenem Adel. Eure Antlitze waren von seltenem Liebreiz. Ihr wart eine Bombenbesetzung. Ihr wart die Idealbesetzung. Ihr wart unnachahmlich. Eure Gesichter waren unvergeßlich. Eure Komik war zwerchfellerschütternd. Eure Tragik war von antiker Größe. Ihr habt aus dem vollen geschöpft, ihr Miesmacher, ihr Nichtsnutze, ihr willenlosen Werkzeuge, ihr Auswürfe der Gesellschaft.

Ihr wart wie aus einem Guß. Ihr hattet heute einen guten Tag. Ihr wart wunderbar aufeinander eingespielt. Ihr wart dem Leben abgelauscht, ihr Tröpfe, ihr Flegel, ihr Atheisten, ihr Liederjahne, ihr Strauchritter, ihr Saujuden.

Ihr habt uns ganz neue Perspektiven gezeigt. Ihr seid mit diesem Stück gut beraten gewesen. Ihr seid über euch hinausgewachsen. Ihr habt euch freigespielt. Ihr wart verinnerlicht, ihr Massenmenschen, ihr Totengräber der abendländischen Kultur, ihr Asozialen, ihr übertünchten Gräber, ihr Teufelsbrut, ihr Natterngezücht, ihr Genickschußspezialisten.

Ihr wart unbezahlbar. Ihr wart ein Orkan. Ihr habt uns den Schauder über den Rücken gejagt. Ihr habt alles weggefegt, ihr KZ-Banditen, ihr Strolche, ihr Stiernacken, ihr Kriegstreiber, ihr Untermenschen, ihr roten Horden, ihr Bestien in Menschengestalt, ihr Nazischweine.

Ihr wart die richtigen. Ihr wart atemberaubend. Ihr habt unsere Erwartungen nicht enttäuscht. Ihr wart die geborenen Schauspieler. Euch steckte die Freude am Spielen im Blut, ihr Schlächter, ihr Tollhäusler, ihr Mitläufer, ihr ewig Gestrigen, ihr Herdentiere, ihr Laffen, ihr Miststücke, ihr Volksfremden, ihr Gesinnungslumpen.

Ihr habt eine gute Atemtechnik bewiesen, ihr Maulhelden, ihr Hurrapatrioten, ihr jüdischen Großkapitalisten, ihr Fratzen, ihr Kasperl, ihr Proleten, ihr Milchgesichter, ihr Heckenschützen, ihr Versager, ihr Katzbuckler, ihr Leisetreter, ihr Nullen, ihr Dutzendwaren, ihr Tausendfüßler, ihr Überzähligen, ihr lebensunwerten Leben, ihr Geschmeiß, ihr Schießbudenfiguren, ihr indiskutablen Elemente.

Ihr seid profilierte Darsteller, ihr Maulaffenfeilhalter, ihr vaterlandslosen Gesellen, ihr Revoluzzer, ihr Rückständler, ihr Beschmutzer des eigenen Nests, ihr inneren Emigranten, ihr Defätisten, ihr Revisionisten, ihr Revanchisten, ihr Militaristen, ihr Pazifisten, ihr Faschisten, ihr Intellektualisten, ihr Nihilisten, ihr Individualisten, ihr Kollektivisten, ihr politisch Unmündigen, ihr Quertreiber, ihr Effekthascher, ihr Antidemokraten, ihr Selbstbezichtiger, ihr Applausbettler, ihr vorsintflutlichen Ungeheuer, ihr Claqueure, ihr Cliquenbildner, ihr Pöbel, ihr Schweinefraß, ihr Knicker, ihr Hungerleider, ihr Griesgräme, ihr Schleimscheißer, ihr geistiges Proletariat, ihr Protze, ihr Niemande, ihr Dingsda.

O ihr Krebskranken, o ihr Tbc-Spucker, o ihr multiplen Sklerotiker, o ihr Syphilitiker, o ihr Herzkranken, o ihr Lebergeschwellten, o ihr Wassersüchtigen, o ihr Schlagflußanfälligen, o ihr Todesursachenträger, o ihr Selbstmordkandidaten, o ihr potentiellen Friedenstoten, o ihr potentiellen Kriegstoten, o ihr potentiellen Unfallstoten, o ihr potentiellen Toten.

Ihr Kabinettstücke. Ihr Charakterdarsteller. Ihr Menschendarsteller. Ihr Welttheatraliker. Ihr Stillen im Land. Ihr Gottespülcher. Ihr Ewigkeitsfans. Ihr Gottesleugner. Ihr Volksausgaben. Ihr Abziehbilder. Ihr Meilensteine in der Geschichte des Theaters. Ihr schleichende Pest. Ihr unsterblichen Seelen. Ihr, die ihr nicht von dieser Welt seid. Ihr Weltoffenen. Ihr positiven Helden. Ihr Schwangerschaftsunterbrecher. Ihr negativen Helden. Ihr Helden des Alltags. Ihr Leuchten der Wissenschaft. Ihr vertrottelten Adeligen. Ihr verrottetes Bürgertum. Ihr gebildeten Klassen. Ihr Menschen unserer Zeit. Ihr Rufer in der Wüste. Ihr Heiligen der letzten Tage. Ihr Kinder dieser Welt. Ihr Jammergestalten. Ihr historischen Augenblicke. Ihr weltlichen und geistlichen Würdenträger. Ihr Habenichtse. Ihr Oberhäupter. Ihr Unternehmer. Ihr Eminenzen. Ihr Exzellenzen. Du Heiligkeit. Ihr Durchlauchten. Ihr Erlauchten. Ihr gekrönten Häupter. Ihr Krämerseelen. Ihr Ja-und-Nein-Sager. Ihr Neinsager. Ihr Baumeister der Zukunft. Ihr Garanten für eine bessere Welt. Ihr Unterweltler. Ihr Nimmersatt. Ihr Siebengescheiten. Ihr Neunmalklugen. Ihr Lebensbejaher. Ihr Damen und Herren ihr, ihr Persönlichkeiten des öffentlichen und kulturellen Lebens ihr, ihr Anwesenden ihr, ihr Brüder und Schwestern ihr, ihr Genossen ihr, ihr werten Zuhörer ihr, ihr Mitmenschen ihr.

Sie waren hier willkommen. Wir danken Ihnen. Gute Nacht.

Sofort fällt der Vorhang. Er bleibt jedoch nicht geschlossen, sondern geht ungeachtet des Verhaltens des Publikums sofort wieder auf. Die Sprecher stehen und blicken, ohne jemanden anzuschauen, ins Publikum. Durch Lautsprecher wird dem Publikum tosender Beifall geklatscht und wild gepfiffen; dazu könnten vielleicht Publikumsreaktionen auf ein Beatbandkonzert durch die Lautsprecher abgespielt werden. Das ohrenbetäubende Heulen und Johlen dauert an, bis das Publikum geht. Dann erst fällt endgültig der Vorhang.

Weissagung

Wo beginnen?
Alles kracht in den Fugen und schwankt.
Die Luft erzittert vor Vergleichen.
Kein Wort ist besser als das andre,
die Erde dröhnt von Metaphern ...

Osip Mandelstam

Vier Sprecher (a, b, c, d)

a
Die Fliegen werden sterben wie die Fliegen.
b
Die läufigen Hunde werden schnüffeln wie läufige Hunde.
c
Das Schwein am Spieß wird schreien wie am Spieß.
d
Der Stier wird brüllen wie ein Stier.
a
Die Statuen werden stehen wie Statuen.
b
Die Hühner werden laufen wie die Hühner.
c
Der Verrückte wird rennen wie ein Verrückter.
d
Der Besessene wird heulen wie ein Besessener.
a
Der räudige Köter wird streunen wie ein räudiger Köter.
b
Der Aasgeier wird kreisen wie ein Aasgeier.
c
Das Espenlaub wird zittern wie Espenlaub.
d
Das Gras wird zittern wie das Gras.
ab
Das Kartenhaus wird einstürzen wie ein Kartenhaus.
ac
Die Bomben werden wie Bomben einschlagen.
ad
Die reifen Früchte werden wie reife Früchte von den Bäumen fallen.
bc
Der Tropfen auf dem heißen Stein wird versiegen wie ein Tropfen auf dem heißen Stein.
bd
Die Todgeweihten werden stehen wie die Todgeweihten.

abcd
Die gestochene Sau wird bluten wie eine gestochene Sau.
a
Der Durchschnittsbürger wird sich benehmen wie ein Durchschnittsbürger.
b
Der Schuft wird sich benehmen wie ein Schuft.
c
Der Ehrenmann wird sich benehmen wie ein Ehrenmann.
d
Der Opernheld wird sich benehmen wie ein Opernheld.
a
Das Stiefkind wird behandelt werden wie ein Stiefkind.
Der Wundertäter wird erwartet werden wie ein Wundertäter.
Das Wundertier wird bestaunt werden wie ein Wundertier.
Der Messias wird ersehnt werden wie der Messias.
Die Melkkuh wird ausgenutzt werden wie eine Melkkuh.
Die Aussätzigen werden gemieden werden wie die Aussätzigen.
Die Hölle wird gehaßt werden wie die Hölle.
Das Leichentuch wird ausgebreitet werden wie ein Leichentuch.
Der tollwütige Hund wieder niedergeschossen werden wie ein tollwütiger Hund.
b
Der Schelm wird plappern wie ein Schelm.
Der Papagei wird plappern wie ein Papagei.
Die Kellerasseln werden ans Licht krabbeln wie die Kellerasseln.
Der Schnee im Mai wird vergehen wie der Schnee im Mai.
Das Kind wird sich freuen wie ein Kind.
Das Wunder wird geschehen wie ein Wunder.
Die Wasserleiche wird quellen wie eine Wasserleiche.
Der Donnerschlag wird wirken wie ein Donnerschlag.
cd
Der Fuhrknecht wird fluchen wie ein Fuhrknecht.
Der Frosch wird hüpfen wie ein Frosch.

Der Blitz wird zucken wie ein Blitz.
Der Dieb wird fortschleichen wie ein Dieb.
Der Scheunendrescher wird essen wie ein Scheunendrescher.
Der Schulbub wird sich verstecken wie ein Schulbub.
Der Schlag ins Wasser wird wirken wie ein Schlag ins Wasser.
Der Schlag ins Gesicht wird wirken wie ein Schlag ins Gesicht.
Die Viper wird zustoßen wie eine Viper.
bcd
Die verwundeten Pferde werden sich bäumen wie verwundete Pferde.
Der Haftelmacher wird aufpassen wie ein Haftelmacher.
Der Schloßhund wird heulen wie ein Schloßhund.
Der Jude wird feilschen wie ein Jude.
Der Fisch wird an der Angel zappeln wie ein Fisch an der Angel.
Die offene Wunde wird brennen wie eine offene Wunde.
Die Jungfrau wird sich zieren wie eine Jungfrau.
Der Westmann wird gehen wie ein Westmann.
Der Matrose wird gehen wie ein Matrose.
Der Spanier wird gehen wie ein Spanier.
Gary Cooper wird gehen wie Gary Cooper.
Donald Duck wird gehen wie Donald Duck.
a
Der übergossene Pudel wird stehen wie ein übergossener Pudel.
Der arme Sünder wird stehen wie ein armer Sünder.
Die Kuh wird vor dem neuen Tor stehen wie die Kuh vor dem neuen Tor.
Der Hahn auf dem Mist wird stehen wie der Hahn auf dem Mist.
ab
Der gefällte Baum wird stürzen wie ein gefällter Baum.
Die Berserker werden kämpfen wie die Berserker.
Die Katze wird um den heißen Brei schleichen wie die Katze um den heißen Brei.
Die Hunde werden sich vor dem Gewitter verkriechen wie Hunde vor dem Gewitter.

Der brüllende Löwe wird umhergehen wie ein brüllender Löwe.
Das Lauffeuer wird um sich greifen wie ein Lauffeuer.
abc
Die Hyänen werden heulen wie die Hyänen.
Der Nachtwächter wird gähnen wie ein Nachtwächter.
Die Verschwörer werden munkeln wie Verschwörer.
Das Schilfrohr im Wind wird schwanken wie ein Schilfrohr im Wind.
Der Vogel Strauß wird den Kopf in den Sand stecken wie der Vogel Strauß.
Der Strohschneider wird zittern wie ein Strohschneider.
Die Ratte wird schlafen wie eine Ratte.
Der Hund wird verrecken wie ein Hund.
abcd
Die Faust wird wie die Faust aufs Auge passen.
a
Die Pest wird stinken wie die Pest.
b
Die Rose wird duften wie die Rose.
c
Der Wespenschwarm wird surren wie ein Wespenschwarm.
d
Euer Schatten wird euch folgen wie ein Schatten.
a
Das Grab wird schweigen wie ein Grab.
Das Denkmal wird stehen wie ein Denkmal.
b
Ein Mann wird sich erheben wie ein Mann.
Der Fels wird in der Brandung stehen wie ein Fels in der Brandung.
c
Das Ungewitter wird nahen wie ein Ungewitter.
Die Ameisen werden kribbeln wie Ameisen.
d
Die Sturmflut wird schwellen wie eine Sturmflut

Die aufgescheuchte Lämmerherde wird auseinanderstieben wie eine aufgescheuchte Lämmerherde.
a
Der Sand wird euch wie Sand durch die Finger rinnen.
b
Im Theater werdet ihr euch vorkommen wie im Theater.
c
Das Ei wird dem anderen gleichen wie ein Ei dem anderen.
abc
Aus einem Mund wird wie aus einem Mund ein Schrei brechen.
d
Die Orgelpfeifen werden stehen wie die Orgelpfeifen.
Die Posaunen des Jüngsten Gerichts werden erschallen wie die Posaunen des Jüngsten Gerichts.
Die Offenbarung wird wirken wie eine Offenbarung.
c
Der Maulwurf wird die Erde aufschütten wie ein Maulwurf.
b
Die Stimme aus einer andern Welt wird ertönen wie aus einer anderen Welt.
a
Die Lawine wird sich wälzen wie eine Lawine.
Die von allen guten Geistern Verlassenen werden sich benehmen wie von allen guten Geistern verlassen.
ab
Der Prophet wird Gesichte wie ein Prophet haben.
Die Engel werden wie mit Engelszungen reden.
Die Motte wird zum Licht schwirren wie die Motte zum Licht.
Das Scheunentor wird sich öffnen wie ein Scheunentor.
abc
Die Schuppen werden wie Schuppen von den Augen fallen.
Die Fremdkörper werden ausgespien werden wie Fremdkörper.
Die Ratten werden das sinkende Schiff verlassen wie die Ratten das sinkende Schiff.

Gott wird vor die Menschen treten wie ein Gott.
ab
Das Murmeltier wird schlafen wie ein Murmeltier.
a
Die Mauer wird stehen wie eine Mauer.
d
Die Ähren des Roggens werden wogen wie Roggenähren.
dc
Die Pilze nach dem Regen werden sprießen wie Pilze nach dem Regen.
dcb
Die Nußschale wird auf dem Wasser schaukeln wie eine Nußschale.
dcba
Die Zugvögel werden ziehen wie die Zugvögel.
Die auf den Wolken gehen, werden wie auf Wolken gehen.
Die aus den Wolken fallen, werden wie aus allen Wolken fallen.
Die im siebenten Himmel werden sich wie im siebenten Himmel fühlen.
d
Der von der Tarantel Gestochene wird aufspringen wie von einer Tarantel gestochen.
ad
Ebbe und Flut werden wechseln wie Ebbe und Flut.
Der Fisch im Wasser wird sich tummeln wie ein Fisch im Wasser.
Wasser und Feuer werden sich vertragen wie Wasser und Feuer.
Der Tag wird sich von der Nacht unterscheiden wie der Tag von der Nacht.
b
Gott wird in Frankreich leben wie Gott in Frankreich.
c
Der Traum wird euch wie ein Traum erscheinen.
b
Die Ewigkeit wird euch wie eine Ewigkeit erscheinen.

abcd
Aber die Fische im Meer werden zahllos sein wie die Fische im Meer.
Aber der Sand am Strand des Meeres wird zahllos sein wie der Sand am Strand des Meeres.
Aber die Sterne am Himmel werden zahllos sein wie die Sterne am Himmel.
Aber die Menschen auf der Erde werden zahllos sein wie die Menschen auf der Erde.
a
Und die Kaninchen werden sich vermehren wie die Kaninchen.
b
Und die Bakterien werden sich vermehren wie die Bakterien.
c
Und die Armen werden sich vermehren wie die Armen.
d
Und ein Mensch wie du und ich wird ein Mensch wie du und ich sein.

a
Das tägliche Brot wird notwendig wie das tägliche Brot sein.
b
Das Blut wird rot wie Blut sein.
c
Der Wind wird schnell wie der Wind sein.
d
Das Gift wird grün wie Gift sein.
a
Der Brei wird zäh wie Brei sein.
b
Der Tor wird sanft wie ein Tor sein.
c
Das Leben wird vielfältig wie das Leben sein.
d
Das Sieb wird löchrig wie ein Sieb sein.

a
Die letzten Dinge werden unsagbar wie die letzten Dinge sein.

b
Die Axtschneide wird scharf wie eine Axtschneide sein.
c
Das All wird unermeßlich wie das All sein.
d
Der Suppenkaspar wird dünn wie ein Suppenkaspar sein.
a
Das Faß wird dick wie ein Faß sein.
b
Der Nigger wird frech wie ein Nigger sein.
c
Der Vater wird dem Sohn wie ein Vater dem Sohn sein.
d
Der Rübenacker wird holprig wie ein Rübenacker sein.
a
Der Papst wird unfehlbar wie der Papst sein.
b
Der Roman wird phantastisch wie ein Roman sein.
c
Der Film wird unwirklich wie ein Film sein.
d
Die Nadel im Heu wird unauffindbar wie eine Nadel im Heu sein.
a
Die Nacht wird lautlos wie die Nacht sein.
b
Die Sünde wird schwarz wie die Sünde sein.
c
Die Seele wird unerschöpflich wie die Seele sein.
d
Die Zisterne wird tief wie eine Zisterne sein.
a
Der Schwamm wird vollgesogen wie ein Schwamm sein.

b
Der Dichter wird weltfremd wie ein Dichter sein.
c
Die andern werden ganz wie die andern sein.
d
Der Tod wird so gewiß wie der Tod sein.
a
Der folgende Tag wird so gewiß wie der folgende Tag sein.
b
Das Amen im Gebet wird so gewiß wie das Amen im Gebet sein.
c
Etwas wird so gewiß sein, wie nur etwas gewiß sein kann.
d
Der Pfau wird stolz wie ein Pfau sein.

abcd
Und die Umgewandelten werden sich wie umgewandelt fühlen.
Und die zu Salzsäulen Erstarrten werden stehen wie zu Salzsäulen erstarrt.
Und die vom Blitz Getroffenen werden fallen wie vom Blitz getroffen.
Und die Gebannten werden lauschen wie gebannt.
Und die Versteinerten werden stehen wie versteinert.
Und die Gerufenen werden kommen wie gerufen.
Und die Gelähmten werden stehen wie gelähmt.
Und die vom Donner Gerührten werden stehen wie vom Donner gerührt.
Und die Schlafenden werden gehen wie im Schlaf.
Und die Bestellten und nicht Abgeholten werden stehen wie bestellt und nicht abgeholt.
Und die Ausgewechselten werden sich fühlen wie ausgewechselt.
Und die Gespiegelten werden sich sehen wie gespiegelt.
Und die Neugeborenen werden sich fühlen wie neugeboren.
Und die Zerschlagenen werden sich fühlen wie zerschlagen.

Und die vom Erdboden Verschluckten werden wie vom Erdboden verschluckt sein.

a

Die Wirklichkeit wird Wirklichkeit werden.

b

Die Wahrheit wird Wahrheit werden.

ab

Das Eis wird zu Eis gefrieren.

abc

Die Berge werden zu Berge stehen.

abcd

Die Täler werden zu Tal stürzen.

abc

Die Nichtigkeiten werden zunichte werden.

ab

Die Asche wird zu Asche brennen.

b

Die Luft wird zu Luft werden.

a

Der Staub wird zu Staub werden.

d

Das Wiesel wird wieselflink sein.

c

Die Feder wird federleicht sein.

b

Die Galle wird gallenbitter sein.

a

Der Kalk wird kalkweiß sein.

d

Die Butter wird butterweich sein.

c

Der Gedanke wird gedankenschnell sein.

b

Das Haar wird haarfein sein.

a

Das Sterben wird sterbenslangweilig sein.

d

Die Toten werden totenblaß sein.

c

Den Sterbenden wird sterbensübel sein.

b

Der Rabe wird rabenschwarz sein.

a

Die Bretter werden brettereben sein.

d

Die Haut wird hautdünn sein.

c

Der Finger wird fingerdick sein.

b

Die Fäden werden fadenscheinig sein.

a

Der Stein wird steinhart sein.

abcd

Jeder Tag wird ein Tag sein wie jeder andere.

Selbstbezichtigung

Für Libgart

Dieses Stück ist ein Sprechstück für einen Sprecher und eine Sprecherin. Es gibt keine Rollen. Sprecherin und Sprecher, deren Stimmen aufeinander abgestimmt sind, wechseln einander ab oder sprechen gemeinsam, leise und laut, mit sehr harten Übergängen, so daß sich eine akustische Ordnung ergibt. Die Bühne ist leer. Die beiden Sprecher arbeiten mit Mikrofonen und Lautsprechern. Publikumsraum und Bühne sind immer hell. Der Vorhang wird nicht betätigt. Auch am Schluß des Stücks fällt kein Vorhang.

Ich bin auf die Welt gekommen.

Ich bin geworden. Ich bin gezeugt worden. Ich bin entstanden. Ich bin gewachsen. Ich bin geboren worden. Ich bin in das Geburtenregister eingetragen worden. Ich bin älter geworden.

Ich habe mich bewegt. Ich habe Teile meines Körpers bewegt. Ich habe meinen Körper bewegt. Ich habe mich auf der Stelle bewegt. Ich habe mich von der Stelle bewegt. Ich habe mich von einem Ort zum andern bewegt. Ich habe mich bewegen müssen. Ich habe mich bewegen können.

Ich habe meinen Mund bewegt. Ich bin zu Sinnen gekommen. Ich habe mich bemerkbar gemacht. Ich habe geschrien. Ich habe gesprochen. Ich habe Geräusche gehört. Ich habe Geräusche unterschieden. Ich habe Geräusche erzeugt. Ich habe Laute erzeugt. Ich habe Töne erzeugt. Ich habe Töne, Geräusche und Laute erzeugen können. Ich habe sprechen können. Ich habe schreien können. Ich habe schweigen können.

Ich habe gesehen. Ich habe Gesehenes wiedergesehen. Ich bin zu Bewußtsein gekommen. Ich habe Gesehenes wiedererkannt. Ich habe Wiedergesehenes wiedererkannt. Ich habe wahrgenommen. Ich habe Wahrgenommenes wiederwahrgenommen. Ich bin zu Bewußtsein gekommen. Ich habe Wiederwahrgenommenes wiedererkannt.

Ich habe geschaut. Ich habe Gegenstände gesehen. Ich habe auf gezeigte Gegenstände geschaut. Ich habe auf gezeigte Gegenstände gezeigt. Ich habe die Bezeichnung der gezeigten Gegenstände gelernt. Ich habe die gezeigten Gegenstände bezeichnet. Ich habe die Bezeichnung der nicht zeigbaren Gegenstände gelernt. Ich habe gelernt. Ich habe behalten. Ich habe die gelernten Zeichen behalten. Ich habe bezeichnete Gestalten gesehen. Ich habe ähnliche Gestalten mit gleichen Namen bezeichnet. Ich habe die Unterschiede zwischen unähnlichen

Gestalten bezeichnet. Ich habe abwesende Gestalten bezeichnet. Ich habe abwesende Gestalten zu fürchten gelernt. Ich habe abwesende Gestalten herbeizuwünschen gelernt. Ich habe die Worte »wünschen« und »fürchten« gelernt.

Ich habe gelernt. Ich habe die Wörter gelernt. Ich habe die Zeitwörter gelernt. Ich habe den Unterschied zwischen sein und gewesen gelernt. Ich habe die Hauptwörter gelernt. Ich habe den Unterschied zwischen der Einzahl und der Mehrzahl gelernt. Ich habe die Umstandswörter gelernt. Ich habe den Unterschied zwischen hier und dort gelernt. Ich habe die hinweisenden Wörter gelernt. Ich habe den Unterschied zwischen diesem und jenem gelernt. Ich habe die Eigenschaftswörter gelernt. Ich habe den Unterschied zwischen gut und böse gelernt. Ich habe die besitzanzeigenden Wörter gelernt. Ich habe den Unterschied zwischen mein und dein gelernt. Ich habe einen Wortschatz erworben.

Ich bin der Gegenstand von Sätzen geworden. Ich bin die Ergänzung von Sätzen geworden. Ich bin der Gegenstand und die Ergänzung von Hauptsätzen und Nebensätzen geworden. Ich bin eine Mundbewegung geworden. Ich bin eine Aneinanderreihung von Buchstaben geworden.

Ich habe meinen Namen gesagt. Ich habe ich gesagt. Ich bin auf allen vieren gekrochen. Ich bin gelaufen. Ich bin auf etwas zugelaufen. Ich bin vor etwas davongelaufen. Ich habe mich aufgerichtet. Ich bin aus der Leideform getreten. Ich bin aktiv geworden. Ich bin im annähernd rechten Winkel zur Erde gegangen. Ich bin gesprungen. Ich habe der Schwerkraft getrotzt. Ich habe gelernt, meine Notdurft außerhalb der Kleidung zu verrichten. Ich habe gelernt, meinen Körper unter meine Gewalt zu bekommen. Ich habe gelernt, mich zu beherrschen.

Ich habe zu können gelernt. Ich habe können. Ich habe wollen können. Ich habe auf zwei Beinen gehen können. Ich habe auf den Händen gehen können. Ich habe bleiben können. Ich habe stehenbleiben können. Ich habe liegenbleiben können. Ich habe auf dem Bauch kriechen können. Ich habe mich totstellen können. Ich habe den Atem anhalten können. Ich habe mich töten können. Ich habe ausspucken können. Ich habe nicken können. Ich habe verneinen können. Ich habe Gesten vollführen können. Ich habe fragen können. Ich habe Fragen beantworten können. Ich habe nachahmen können. Ich habe einem Beispiel folgen können. Ich habe spielen können. Ich habe etwas tun können. Ich habe etwas lassen können. Ich habe Gegenstände zerstören können. Ich habe Gegenstände mit anderen Gegenständen vergleichen können. Ich habe mir Gegenstände vorstellen können. Ich habe Gegenstände bewerten können. Ich habe Gegenstände sprechen können. Ich habe ü b e r Gegenstände sprechen können. Ich habe mich an Gegenstände erinnern können.

Ich habe in der Zeit gelebt. Ich habe an Anfang und Ende gedacht. Ich habe an mich gedacht. Ich habe an andre gedacht. Ich bin aus der Natur getreten. Ich bin geworden. Ich bin unnatürlich geworden. Ich bin zu meiner Geschichte gekommen. Ich habe erkannt, daß ich nicht du bin. Ich habe meine Geschichte mitteilen können. Ich habe meine Geschichte verschweigen können.

Ich habe etwas wollen können. Ich habe etwas *nicht* wollen können.

Ich habe mich gemacht. Ich habe mich zu dem gemacht, was ich bin. Ich habe mich verändert. Ich bin ein andrer geworden. Ich bin für meine Geschichte verantwortlich geworden. Ich bin für die Geschichten der andern mitverantwortlich geworden. Ich bin eine Geschichte unter andern geworden. Ich habe die Welt zu der meinen gemacht. Ich bin vernünftig geworden.

Ich habe nicht mehr nur der Natur folgen müssen. Ich habe Regeln erfüllen sollen. Ich habe sollen. Ich habe die geschichtlichen Regeln der Menschen erfüllen sollen. Ich habe handeln sollen. Ich habe unterlassen sollen. Ich habe geschehen lassen sollen. Ich habe Regeln gelernt. Ich habe als Metapher für die Regeln die ›Fußangeln der Regeln‹ gelernt. Ich habe Regeln für das Verhalten und die Gedanken gelernt. Ich habe Regeln für innen und außen gelernt. Ich habe Regeln für Dinge und Menschen gelernt. Ich habe allgemeine und besondere Regeln gelernt. Ich habe Regeln für das Diesseits und für das Jenseits gelernt. Ich habe Regeln für Luft, Wasser, Feuer und Erde gelernt. Ich habe die Regeln und die Ausnahmen von den Regeln gelernt. Ich habe die Grundregeln und die abgeleiteten Regeln gelernt. Ich habe zu sollen gelernt. Ich bin gesellschaftsfähig geworden.

Ich bin geworden: ich habe sollen. Ich bin fähig geworden, mit eigenen Händen zu essen: ich habe mich zu beschmutzen vermeiden sollen. Ich bin fähig geworden, die Sitten der andern anzunehmen: ich habe die eigenen Unsitten vermeiden sollen. Ich bin fähig geworden, heiß und kalt zu unterscheiden: ich habe das Spiel mit dem Feuer vermeiden sollen. Ich bin fähig geworden, Gutes und Böses zu trennen: ich habe das Böse vermeiden sollen. Ich bin fähig geworden, nach Spielregeln zu spielen: ich habe einen Verstoß gegen die Spielregeln vermeiden sollen. Ich bin fähig geworden, das Unrechtmäßige meiner Taten einzusehen und dieser Einsicht gemäß zu handeln: ich habe die Untat vermeiden sollen. Ich bin fähig geworden, die Geschlechtskraft zu gebrauchen: ich habe den Mißbrauch der Geschlechtskraft vermeiden sollen.

Ich bin von allen Regeln erfaßt worden. Mit meinen Personalien bin ich aktenkundig gemacht worden. Mit meiner Seele bin ich von der Erbsünde befleckt worden. Mit meiner Spielnummer bin ich in das Spielerverzeichnis aufgenommen worden. Mit meinen Krankheiten bin ich karteikundig gemacht worden. Mit meiner Firma bin ich in das Handelsregister eingetragen worden. Mit meinen besonderen Merkmalen bin ich in der Personenbeschreibung festgehalten worden.

Ich bin mündig geworden. Ich bin handlungsfähig geworden. Ich bin vertragsfähig geworden. Ich bin eines letzten Willens fähig geworden.

Seit einem Zeitpunkt habe ich Sünden begehen können. Seit einem anderen Zeitpunkt habe ich gerichtlich belangt werden können. Seit einem anderen Zeitpunkt habe ich meine Ehre verlieren können. Seit einem anderen Zeitpunkt habe ich mich durch einen Vertrag zu einem Tun oder Unterlassen verpflichten können.

Ich bin bußpflichtig geworden. Ich bin wohnsitzpflichtig geworden. Ich bin ersatzpflichtig geworden. Ich bin steuerpflichtig geworden. Ich bin stellungspflichtig geworden. Ich bin dienstpflichtig geworden. Ich bin schulpflichtig geworden. Ich bin impfpflichtig geworden. Ich bin sorgepflichtig geworden. Ich bin zahlungspflichtig geworden. Ich bin untersuchungspflichtig geworden. Ich bin erziehungspflichtig geworden. Ich bin beweispflichtig geworden. Ich bin versicherungspflichtig geworden. Ich bin ausweispflichtig geworden. Ich bin meldepflichtig geworden. Ich bin unterhaltspflichtig geworden. Ich bin exekutionspflichtig geworden. Ich bin aussagepflichtig geworden.

Ich bin geworden. Ich bin verantwortlich geworden. Ich bin schuldig geworden. Ich bin entschuldbar geworden. Ich habe für meine Geschichte büßen müssen. Ich habe für meine Vergangenheit büßen müssen. Ich habe für die Vergangenheit büßen müssen. Ich habe für meine Zeit büßen müssen. Ich bin erst mit der Zeit zur Welt gekommen.

Gegen welche Forderung der Zeit habe ich mich vergangen? Gegen welche Forderung der praktischen Vernunft habe ich mich vergangen? Gegen welche Geheimparagraphen habe ich mich vergangen? Gegen welches Programm habe ich mich vergangen? Gegen welche ewigen Gesetze des Weltalls habe ich mich vergangen? Gegen welche Gesetze der Unterwelt habe ich mich vergangen? Gegen welche primitivsten Regeln des Anstands habe ich mich vergangen? Gegen welche Richtlinien einer Partei habe ich mich vergangen? Gegen welche Gesetze des Theaters habe ich mich vergangen? Gegen welche vitalen Interessen habe ich mich vergangen? Gegen welches sanfte Gesetz habe ich mich vergangen? Gegen welches Faustrecht habe ich mich vergangen? Gegen welches Gebot der Stunde habe ich mich vergangen? Gegen welche Lebensregeln habe ich mich vergangen? Gegen welche Bauernregeln habe ich mich vergangen? Gegen welche Liebesregeln habe ich mich vergangen? Gegen welche Spielregeln habe ich mich vergangen? Gegen welche Regeln der Kosmetik habe ich mich vergangen? Gegen welche Regeln der Kunst habe ich mich vergangen? Gegen welche Rechte der Stärkeren habe ich mich vergangen? Gegen welche Forderung der Pietät habe ich mich vergangen? Gegen welche Gesetze der Gesetzlosen habe ich mich vergangen? Gegen welches Verlangen nach Abwechslung habe ich mich vergangen? Gegen welche Gesetze für Diesseits und Jenseits habe ich mich vergangen? Gegen welche Regeln der Rechtschreibung habe ich mich vergangen? Gegen welches Recht der Vergangenheit habe ich mich vergangen? Gegen welche Gesetze des freien Falls habe ich mich vergangen? Habe ich mich gegen die Regeln, Pläne, Ideen, Postulate, Grundsätze, Etiketten, Satzungen, allgemeinen Meinungen und Formeln der ganzen Welt vergangen?

Ich habe getan. Ich habe unterlassen. Ich habe zugelassen. Ich habe mich geäußert. Ich habe mich geäußert durch Gedanken. Ich habe mich geäußert durch Äußerungen. Ich habe mich vor mir selber geäußert. Ich habe mich vor mir selber und andern geäußert. Ich habe mich vor der unpersönlichen Macht der Gesetze und der guten Sitten geäußert. Ich habe mich vor der persönlichen Macht Gottes geäußert.

Ich habe mich in Bewegungen geäußert. Ich habe mich in Handlungen geäußert. Ich habe mich in der Bewegungslosigkeit geäußert. Ich habe mich in der Tatenlosigkeit geäußert.

Ich habe bedeutet. Ich habe in jeder meiner Äußerungen bedeutet. Ich habe in jeder meiner Äußerungen eine Erfüllung oder Mißachtung von Regeln bedeutet.

Ich habe mich geäußert durch Spucken. Ich habe mich geäußert durch Unmutskundgebungen. Ich habe mich geäußert durch Beifallskundgebungen. Ich habe mich geäußert durch die Verrichtung meiner Notdurft. Ich habe mich geäußert durch das Wegwerfen von unbrauchbaren und gebrauchten Gegenständen. Ich habe mich geäußert durch das Töten von Lebewesen. Ich habe mich geäußert durch das Zerstören von Gegenständen. Ich habe mich geäußert durch Atmen. Ich habe mich geäußert durch das Absondern von Schweiß. Ich habe mich geäußert durch das Absondern von Rotz und Tränen.

Ich habe gespuckt. Ich habe ausgespuckt. Ich habe gezielt gespuckt. Ich habe angespuckt. Ich habe an Orten auf den Boden gespuckt, an denen auf den Boden zu spucken ungehörig war. Ich habe an Orten ausgespuckt, an denen auszuspucken ein Verstoß gegen die Gesundheitsvorschriften war. Ich habe Menschen ins Gesicht gespuckt, die anzuspucken eine persönliche Beleidigung Gottes war. Ich habe Gegenstände angespuckt, die anzuspucken eine persönliche Beleidigung von Menschen war. Ich habe vor Menschen nicht ausgespuckt, vor denen auszuspucken Glück bringen sollte. Ich habe vor Krüppeln nicht ausgespuckt. Ich habe Schauspieler vor ihrem Auftritt nicht angespuckt. Ich habe nicht den Spucknapf benutzt. Ich habe in Warteräumen ausgespuckt. Ich habe gegen den Wind gespuckt.

Ich habe Beifallskundgebungen geäußert an Orten, an denen Beifallskundgebungen verboten waren. Ich habe Mißfallenskundgebungen geäußert zu Zeiten, zu denen Mißfallenskundgebungen unerwünscht waren. Ich habe Mißfallenskundgebungen und Beifallskundgebungen geäußert an Orten und zu Zeiten, da Mißfallenskundgebungen sowie Beifallskundgebungen verbeten waren. Ich habe Beifallskundgebungen nicht geäußert zu Zeiten, zu denen Beifallskundgebungen erbeten waren. Ich habe Beifallskundgebungen bei einem schwierigen Trapezakt im Zirkus geäußert. Ich habe Beifallskundgebungen zur Unzeit geäußert.

Ich habe unbrauchbare und gebrauchte Gegenstände weggeworfen an Orten, an denen das Wegwerfen von Gegenständen untersagt war. Ich habe Gegenstände abgestellt an Orten, an denen das Abstellen von Gegenständen strafbar war. Ich habe Gegenstände abgelagert an Orten, an denen das Ablagern von Gegenständen verwerflich war. Ich habe Gegenstände nicht abgeliefert, die abzuliefern gesetzestreu war. Ich habe Gegenstände aus dem Fenster eines fahrenden Zuges geworfen. Ich habe Abfälle nicht in den Abfallkorb geworfen. Ich habe Abfälle im Wald liegen lassen. Ich habe brennende Zigaretten ins Heu geworfen. Ich habe feindliche Flugblätter nicht abgeliefert.

Ich habe mich geäußert durch Sprechen. Ich habe mich geäußert durch Aneignen von Gegenständen. Ich habe mich geäußert durch das Zeugen von Lebewesen. Ich habe mich geäußert durch das Erzeugen von Gegenständen. Ich habe mich geäußert durch Schauen. Ich habe mich geäußert durch Spielen. Ich habe mich geäußert durch Gehen.

Ich bin gegangen. Ich bin ziellos gegangen. Ich bin zielbewußt gegangen. Ich bin auf Wegen gegangen. Ich bin auf Wegen gegangen, auf denen zu gehen verboten war. Ich bin nicht auf Wegen gegangen, wenn auf Wegen zu gehen geboten war. Ich bin auf Wegen gegangen, auf denen ziellos zu gehen sündhaft war. Ich bin zielbewußt gegangen, wenn ziellos zu gehen geboten war. Ich bin auf Wegen gegangen, auf denen mit einem Ziel zu gehen verboten war. Ich bin gegangen. Ich bin gegangen, wenn selbst das Gehen verboten und gegen die guten Sitten war. Ich bin durch Passagen gegangen, die zu passieren konformistisch war. Ich habe Grundstücke betreten, die zu betreten eine Schande war. Ich habe Grundstücke ohne Ausweis betreten, die ohne Ausweis zu betreten verboten war. Ich habe Gebäude verlassen, die zu verlassen unsolidarisch war. Ich habe Gebäude betreten, die mit bedecktem Kopf zu betreten unschicklich war. Ich habe Gebiet betreten, das zu betreten untersagt war. Ich bin in ein Staatsgebiet eingereist, in das einzureisen verboten war. Ich bin aus einem Staatsgebiet ausgereist, aus dem auszureisen staatsfeindlich war. Ich habe Straßen in einer Richtung befahren, in die zu fahren undiszipliniert war. Ich bin in Richtungen gegangen, in die zu gehen unstatthaft war. Ich bin so weit gegangen, daß weiterzugehen unratsam war. Ich bin stehengeblieben, wenn stehenzubleiben unhöflich war. Ich bin rechts von Personen gegangen, auf deren rechter Seite zu gehen gedankenlos war. Ich habe mich auf Plätze gesetzt, auf denen zu sitzen anderen Personen vorbehalten war. Ich bin nicht weitergegangen, wenn weiterzugehen befohlen war. Ich bin langsam gegangen, wenn schnell zu gehen geboten war. Ich bin nicht aufgestanden, wenn aufzustehen geboten war. Ich habe mich hingelegt an Orten, an denen sich hinzulegen verboten war. Ich bin bei Aufläufen stehengeblieben. Ich bin bei gebotener Hilfeleistung weitergegangen. Ich habe Niemandsland betreten. Ich habe mich in den Monaten mit R auf den Boden gelegt. Ich habe durch langsames Gehen in engen Gängen Flüchtende aufgehalten. Ich bin von der fahrenden Straßenbahn gesprungen. Ich habe die Waggontür vor dem Halten des Zuges geöffnet.

Ich habe gesprochen. Ich habe ausgesprochen. Ich habe ausgesprochen, was andere schon gedacht haben. Ich habe nur gedacht, was andere ausgesprochen haben. Ich habe der öffentlichen Meinung Ausdruck gegeben. Ich habe die öffentliche

Meinung verfälscht. Ich habe gesprochen an Orten, an denen zu sprechen pietätlos war. Ich habe laut gesprochen an Orten, an denen laut zu sprechen rücksichtslos war. Ich habe geflüstert, wenn laut zu sprechen verlangt war. Ich habe geschwiegen zu Zeiten, zu denen zu schweigen eine Schande war. Ich habe als öffentlicher Sprecher gesprochen, wenn als Privatmann zu sprechen geboten war. Ich habe mit Personen gesprochen, mit denen zu sprechen würdelos war. Ich habe Personen gegrüßt, die zu grüßen ein Verrat an Prinzipien war. Ich habe in einer Sprache gesprochen, in der zu sprechen, volksfeindlich war. Ich habe von Gegenständen gesprochen, von denen zu sprechen taktlos war. Ich habe meine Mitwisserschaft an einer Untat verschwiegen. Ich habe über Tote nichts Gutes gesprochen. Ich habe Abwesenden Übles nachgeredet. Ich habe gesprochen, ohne gefragt zu sein. Ich habe Soldaten im Dienst angesprochen. Ich habe während der Fahrt mit dem Wagenlenker gesprochen.

Ich habe die Regeln der Sprache nicht beachtet. Ich habe Sprachverstöße begangen. Ich habe die Worte ohne Gedanken gebraucht. Ich habe den Gegenständen der Welt blindlings Eigenschaften gegeben. Ich habe den Worten für die Gegenstände blindlings Worte für die Eigenschaften der Gegenstände gegeben. Ich habe mit den Worten für die Eigenschafte der Gegenstände blindlings die Welt angeschaut. Ich habe die Gegenstände tot genannt. Ich habe die Mannigfaltigkeit bunt genannt. Ich habe die Traurigkeit dunkel genannt. Ich habe den Wahnsinn hell genannt. Ich habe die Leidenschaft heiß genannt. Ich habe den Zorn rot genannt. Ich habe die letzten Dinge unsagbar genannt. Ich habe das Milieu echt genannt. Ich habe die Natur frei genannt. Ich habe den Schrekken panisch genannt. Ich habe das Lachen befreiend genannt. Ich habe die Freiheit unabdingbar genannt. Ich habe die Treue sprichwörtlich genannt. Ich habe den Nebel milchig genannt. Ich habe die Oberfläche glatt genannt. Ich habe die Strenge alttestamentarisch genannt. Ich habe den Sünder arm genannt. Ich habe die Würde angeboren genannt. Ich habe die Bombe bedrohlich genannt. Ich habe die Lehre heilsam genannt. Ich habe die Finsternis undurchdringlich genannt. Ich habe die Moral verlogen genannt. Ich habe die Grenzen verwischt genannt. Ich habe den Zeigefinger moralisch genannt. Ich habe das Mißtrauen schöpferisch genannt. Ich habe das Vertrauen blind genannt. Ich habe die Atmosphäre sachlich genannt. Ich habe den Widerspruch fruchtbar genannt. Ich habe die Erkenntnisse zukunftsweisend genannt. Ich habe die Redlichkeit intellektuell genannt. Ich habe das Kapital korrupt genannt. Ich habe das Gefühl dumpf genannt. Ich habe das Weltbild verzerrt genannt. Ich habe die Ideologie falsch genannt. Ich habe die Weltanschauung verwaschen genannt. Ich habe die Kritik konstruktiv genannt. Ich habe die Wissenschaft vorurteilslos genannt. Ich habe die Genauigkeit wissenschaftlich genannt. Ich habe die Haut taufrisch genannt. Ich habe die Ergebnisse greifbar genannt. Ich habe das Gespräch nützlich genannt. Ich habe das Dogma starr genannt. Ich habe die Diskussion notwendig genannt. Ich habe die Meinung subjektiv genannt. Ich habe das Pathos hohl genannt. Ich habe die Mystik verworren genannt. Ich habe die Gedanken unausgegoren genannt. Ich habe die Spielerei unnütz genannt. Ich habe die Monotonie ermüdend genannt. Ich habe die Erscheinungen transparent genannt. Ich habe das Sein wahr genannt. Ich habe die Wahrheit tief genannt. Ich habe die Lüge seicht genannt. Ich habe das Leben prall genannt. Ich habe das Geld nebensächlich genannt. Ich habe die Wirklichkeit platt genannt. Ich habe den Augenblick kostbar genannt. Ich habe den Krieg gerecht genannt. Ich habe den Frieden faul genannt. Ich habe den Ballast tot genannt. Ich habe die Gegensätze unvereinbar genannt. Ich habe die Fronten starr genannt. Ich habe das Weltall gekrümmt genannt. Ich habe den Schnee weiß genannt. Ich habe das Wasser flüssig genannt. Ich habe den Ruß schwarz genannt. Ich habe die Kugel rund genannt. Ich habe das Etwas gewiß genannt. Ich habe das Maß voll genannt.

Ich habe mir Gegenstände angeeignet. Ich habe Gegenstände zu Besitz und Eigentum erworben. Ich habe mir Gegenstände angeeignet an Orten, an denen das Aneignen von Gegenständen grundsätzlich verboten war. Ich habe mir Gegenstände angeeignet, die sich anzueignen gesellschaftsfeindlich war. Ich habe an Gegenständen privates Eigentum begründet, an denen privates Eigentum zu begründen unzeitgemäß war. Ich habe Gegenstände zu öffentlichen Gütern erklärt, die dem privaten Eigentum zu entziehen unsittlich war. Ich habe Gegenstände ohne Sorgfalt behandelt, die mit Sorgfalt zu behandeln vorgeschrieben war. Ich habe Gegenstände berührt, die zu berühren unästhetisch und sündhaft war. Ich habe Gegenstände von Gegenständen getrennt, die voneinander zu trennen unratsam war. Ich habe von Gegenständen nicht den gebührenden Abstand gehalten, von denen ein gebührender Abstand zu halten geboten war. Ich habe Personen wie Sachen behandelt. Ich habe Tiere wie Personen behandelt. Ich habe mit Lebewesen Kontakt aufgenommen, mit denen Kontakt aufzunehmen sittenlos war. Ich habe Gegenstände mit Gegenständen berührt, die miteinander zu berühren unnütz war. Ich habe mit Lebewesen und Gegenständen gehandelt, mit denen zu handeln unmenschlich war. Ich habe zerbrechliche Waren ohne Sorgfalt behandelt. Ich habe den Pluspol mit dem Pluspol verbunden. Ich habe äußerlich anzuwendende Arzneien innerlich angewendet. Ich habe Ausstellungsgegenstände berührt. Ich habe Schorf von halb verheilten Wunden gerissen. Ich habe herabhängende Stromleitungen berührt. Ich habe einschreibepflichtige Briefe nicht eingeschrieben. Ich habe stempelpflichtige Gesuche nicht mit einer Stempelmarke versehen. Ich habe im Trauerfall keine dunklen Kleider getragen. Ich habe mein Gesicht nicht durch eine Creme gegen die Sonne geschützt. Ich habe mit Sklaven gehandelt. Ich habe mit unbeschautem Fleisch gehandelt. Ich habe mit unzureichendem Schuhwerk Berge bestiegen. Ich habe das Obst nicht gewaschen. Ich habe die Kleider von Pesttoten nicht desinfiziert. Ich habe Haarwasser vor dem Gebrauch nicht geschüttelt.

Ich habe geschaut und gehört. Ich habe angeschaut. Ich habe Gegenstände angeschaut, die anzuschauen schamlos war. Ich habe Gegenstände nicht angeschaut, die nicht anzuschauen pflichtvergessen war. Ich habe Vorgängen nicht zugeschaut, denen nicht zuzuschauen spießbürgerlich war. Ich habe Vorgängen nicht in einer Haltung zugeschaut, in der zuzuschauen Vorschrift war. Ich habe bei Vorgängen nicht weggeschaut, bei denen zuzuschauen verräterisch war. Ich habe zurückgeschaut, wenn zurückzuschauen ein Beweis von schlechter Erziehung war. Ich habe weggeschaut, wenn wegzuschauen feig war. Ich habe Personen angehört, die anzuhören gesinnungslos war. Ich habe verbotenes Gelände besichtigt. Ich habe einsturzgefährdete Bauten besichtigt. Ich habe Personen nicht angeschaut, die mit mir gesprochen haben. Ich habe Personen nicht angeschaut, mit denen ich gesprochen habe. Ich habe abzuratende und abzulehnende Filme gesehen. Ich habe staatsfeindliche Mitteilungen in Massenmedien gehört. Ich habe ohne Eintrittskarte Spielen zugeschaut. Ich habe fremde Personen angestarrt. Ich habe ohne dunkle Gläser in die Sonne geschaut. Ich habe beim Geschlechtsakt die Augen offen gehalten.

Ich habe gegessen. Ich habe über den Hunger gegessen. Ich habe über den Durst getrunken. Ich habe mir Speise und Trank einverleibt. Ich habe die vier Elemente zu mir genommen. Ich habe die vier Elemente aus- und eingeatmet. Ich habe zu Zeiten gegessen, zu denen zu essen unbeherrscht war. Ich habe nicht in einer Weise geatmet, in der zu atmen gesund war. Ich habe eine Luft geatmet, die zu atmen unter meinem Stand war. Ich habe eingeatmet, wenn einzuatmen schädlich war. Ich habe an Fasttagen Fleisch gegessen. Ich habe ohne Gasmaske geatmet. Ich habe auf offener Straße gegessen. Ich habe Abgase eingeatmet. Ich habe ohne Messer und Gabel gegessen. Ich habe mir zum Atmen keine Zeit gelassen. Ich habe die Hostie mit den Zähnen gegessen. Ich habe nicht durch die Nase geatmet.

Ich habe gespielt. Ich habe falsch gespielt. Ich habe nach Regeln gespielt, die nach den bestehenden Regeln gegen die Konvention waren. Ich habe an Orten und zu Zeiten gespielt, da zu spielen asozial und weltvergessen war. Ich habe mit Personen gespielt, mit denen zu spielen ehrlos war. Ich habe mit Gegenständen gespielt, mit denen zu spielen gegen das Zeremoniell war. Ich habe an Orten und zu Zeiten nicht gespielt, da nicht zu spielen ungesellig war. Ich habe mit Regeln gespielt, wenn ohne Regeln zu spielen individuell war. Ich habe mit mir selber gespielt, wenn mit andern zu spielen ein Gebot der Menschlichkeit war. Ich habe mit Mächten gespielt, mit denen zu spielen anmaßend war. Ich habe Spiele nicht ernst genommen. Ich habe Spiele zu ernst genommen. Ich habe mit dem Feuer gespielt. Ich habe mit Feuerzeugen gespielt. Ich habe mit gezinken Karten gespielt. Ich habe mit Menschenleben gespielt. Ich habe mit Sprühdosen gespielt. Ich habe mit dem Leben gespielt. Ich habe mit Gefühlen gespielt. Ich habe m i c h gespielt. Ich habe ohne Spielnummer gespielt. Ich habe in der Spielzeit n i c h t gespielt. Ich habe mit der Neigung zum Bösen gespielt. Ich habe mit den Gedanken gespielt. Ich habe mit Selbstmordgedanken gespielt. Ich habe auf einer dünnen Eisfläche gespielt. Ich habe auf fremdem Grund gespielt. Ich habe Verzweiflung gespielt. Ich habe mit meiner Verzweiflung gespielt. Ich habe mit meinem Geschlechtsteil gespielt. Ich habe mit Worten gespielt. Ich habe mit meinen Fingern gespielt.

Ich bin schon mit der Erbsünde behaftet auf die Welt gekommen. Von Natur aus habe ich zum Bösen geneigt. Schon im Neid auf den Milchbruder habe ich meine Bosheit geäußert. Einen Tag lang auf der Welt, bin ich schon nicht mehr frei von der Sünde gewesen. Ich habe plärrend nach den Brüsten der Mutter gegiert. Ich habe nur zu saugen gewußt. Ich habe nur meinen Genuß zu stillen gewußt. Ich habe mit meiner Vernunft nicht die in das Weltall und in meine Natur gelegten Gesetze erkennen wollen. Ich bin schon in Bosheit empfangen worden. Ich bin schon in Bosheit gezeugt worden. Ich habe meine Bosheit im Zerstören der Dinge ausgelassen. Ich habe meine Bosheit im Zertreten von Lebewesen ausgelassen. Ich bin ungehorsam gewesen aus Liebe zum Spiel. Ich habe am Spiel das Siegesgefühl geliebt. Ich habe an phantastischen Geschichten den Kitzel im Ohr geliebt. Ich habe Menschen vergöttert. Ich habe an den Nichtigkeiten der Dichter größeren Gefallen gefunden als an nützlichen Kenntnissen. Ich habe Sprachschnitzer mehr gefürchtet als die ewigen Gesetze. Ich habe nur meinen Gaumen über mich gebieten lassen. Ich habe nur meinen Sinnen vertraut. Ich habe keinen Wirklichkeitssinn bewiesen. Ich habe nicht nur die Schandtaten geliebt, sondern auch das Begehren der Schandtaten. Ich habe das Böse am liebsten in Gesellschaft begangen. Ich habe Mitschuldige geliebt. Ich habe die Mitschuld geliebt. Ich habe an der Sünde die Gefahr geliebt. Ich habe nicht nach der Wahrheit gesucht. Ich habe in der Kunst Lust an meinem Schmerz und an meinem Mitleid empfunden. Ich habe der Augenlust gefrönt. Ich habe nicht das Ziel der Geschichte erkannt. Ich bin gottvergessen gewesen. Ich bin weltvergessen gewesen. Ich habe die Welt nicht als d i e s e Welt bezeichnet. Ich habe auch die Himmelskörper zur Welt gerechnet. Ich bin mir selber genug gewesen. Ich bin nur um die weltlichen Dinge besorgt gewesen. Ich habe gegen die Traurigkeit kein kaltes Bad genommen. Ich habe gegen die Leidenschaft kein heißes Bad genommen. Ich habe meinen Körper zweckentfremdet. Ich habe die Tatsachen nicht zur Kenntnis genommen. Ich habe meine leibliche Natur nicht der geistigen Natur untergeordnet. Ich habe meine Natur verleugnet. Ich bin gegen die Natur der Dinge angerannt. Ich habe ungeordnet nach Macht verlangt. Ich habe ungeordnet nach Geld verlangt. Ich habe mir kein Verhältnis zum Geld anerzogen. Ich habe über meine Verhältnisse gelebt. Ich habe mich mit den Verhältnissen nicht abfinden können. Ich habe selbstbestimmend mein Leben gestaltet. Ich habe mich selbst nicht überwunden. Ich habe mich nicht eingeordnet. Ich habe die ewige Ordnung gestört. Ich habe verkannt, daß das Böse nur die Abwesenheit des Guten ist. Ich habe nicht erkannt, daß das Böse nur ein Unwesen ist. Ich habe in meinen Sünden den Tod geboren. Ich habe mich durch die Sünde dem Vieh gleichgemacht, das an der Schlachtbank geschlachtet werden soll, aber an demselben Eisen herumschnüffelt, das bestimmt ist zu seiner Schlachtung. Ich habe den Anfängen nicht widerstanden. Ich habe nicht den Zeitpunkt zum Aufhören gefunden. Ich habe mir vom höchsten Wesen ein Bild gemacht. Ich habe mir vom höchsten Wesen kein Bild machen wollen. Ich habe den Namen des höchsten Wesens totgeschwiegen. Ich habe nur an die drei Personen der Grammatik geglaubt. Ich habe mir eingeredet, daß es kein höchstes Wesen gibt, um es nicht fürchten zu müssen. Ich habe die Gelegenheit gesucht. Ich habe die Möglichkeit nicht genützt. Ich bin der Notwendigkeit nicht gefolgt. Ich habe mit dem Zufall nicht gerechnet. Ich habe aus schlechten Beispielen nicht gelernt. Ich habe aus der Vergangenheit nicht gelernt. Ich habe mich dem freien Spiel der Kräfte überlassen. Ich habe die Freiheit mit der Zügellosigkeit verwechselt. Ich habe die Ehrlichkeit mit der Selbstentblößung verwechselt. Ich habe die Obszönität mit der Originalität verwechselt. Ich habe den Traum mit der Wirklichkeit verwechselt. Ich habe das Leben mit dem Klischee verwechselt. Ich habe den Zwang mit der notwendigen Führung verwechselt. Ich habe die Liebe mit dem Trieb verwechselt. Ich habe die Ursache mit der Wirkung verwechselt. Ich habe keine Einheit zwischen Denken und Handeln beachtet. Ich habe die Dinge nicht gesehen, wie sie sind. Ich bin dem Zauber des Augenblicks erlegen. Ich habe das Dasein nicht als geliehen betrachtet. Ich bin wortbrüchig geworden. Ich habe die Sprache nicht beherrscht. Ich habe die Welt nicht verneint. Ich habe die Obrigkeit nicht bejaht. Ich bin autoritätsgläubig gewesen. Ich habe mit meiner Geschlechtskraft nicht hausgehalten. Ich habe die Lust als Selbstzweck gesucht. Ich bin meiner selber nicht sicher gewesen. Ich bin mir zur Frage worden. Ich habe meine Zeit vertan. Ich habe die Zeit verschlafen. Ich habe die Zeit anhalten wollen. Ich habe die Zeit vorantreiben wollen. Ich bin mit der Zeit im Widerspruch gestanden. Ich habe nicht älter werden wollen. Ich habe nicht sterben wollen. Ich habe die Dinge nicht auf mich zukommen lassen. Ich habe mich nicht beschränken können. Ich bin ungeduldig gewesen. Ich habe es nicht erwarten können. Ich habe nicht an die Zukunft gedacht. Ich habe nicht an m e i n e Zukunft gedacht. Ich habe von einem Augenblick zum andern gelebt. Ich bin selbstherrlich gewesen. Ich habe getan, als sei ich allein auf der Welt. Ich habe keine Lebensart bewiesen. Ich bin eigenwillig gewesen. Ich bin willenlos gewesen. Ich habe nicht an mir selber gearbeitet. Ich habe nicht in der Arbeit meine Existenzbedingung geschaffen. Ich habe nicht in jedem Armen Gott gesehen. Ich habe das Übel nicht an der Wurzel ausgerottet. Ich habe verantwortungslos Kinder in die Welt gesetzt. Ich habe meine Vergnügungen nicht meinen sozialen Verhältnissen angepaßt. Ich habe schlechte Gesellschaft gesucht. Ich habe immer im Mittelpunkt stehen wollen. Ich bin zuviel allein gewesen. Ich bin zuwenig allein gewesen. Ich habe zu sehr ein Eigenleben geführt. Ich habe die Bedeutung des Wortes »zu« nicht erkannt. Ich habe nicht als mein höchstes Ziel das Glück aller Menschen betrachtet. Ich habe die Einzelinteressen nicht hinter die Gemeininteressen gestellt. Ich habe mich der Diskussion nicht gestellt. Ich habe Weisungen mißachtet. Ich habe auf unberechtigte Weisungen den Befehl nicht verweigert. Ich habe meine Grenzen nicht erkannt. Ich habe die Dinge nicht im Zusammenhang mit andern gesehen. Ich habe aus der Not keine Tugend gemacht. Ich habe Gesinnungen gewechselt. Ich bin unbelehrbar gewesen. Ich habe mich nicht in den Dienst der Sache gestellt. Ich habe mich mit dem Erreichten zufriedengegeben. Ich habe immer nur mich selber gesehen. Ich habe Einflüsterungen nachgegeben. Ich habe mich nicht für das eine oder das andre entschieden. Ich habe nicht Stellung genommen. Ich habe das Gleichgewicht der Kräfte gestört. Ich habe die allgemein anerkannten Grundsätze verletzt. Ich habe das Soll nicht erfüllt. Ich bin hinter dem gesteckten Ziel zurückgeblieben. Ich bin mir selber ein und alles gewesen. Ich bin zuwenig in der frischen Luft gewesen. Ich bin zu spät aufgewacht. Ich habe den Gehsteig nicht gereinigt. Ich habe Türen nicht verschlossen. Ich bin zu nahe an Käfige getreten. Ich habe Einfahrten nicht freigehalten. Ich habe Ausstiege nicht freigehalten. Ich habe ohne zwingenden Grund die Notbremse gezogen. Ich habe Fahrräder an verbotene Mauern gelehnt. Ich habe gebettelt und hausiert. Ich habe Straßen nicht reingehalten. Ich habe die Schuhe nicht abgestreift. Ich habe mich im fahrenden Zug aus dem Fenster gelehnt. Ich habe in feuergefährdeten Räumen mit offenem Licht hantiert. Ich habe unangemeldet vorgesprochen. Ich bin vor körperbehinderten Personen nicht aufgestanden. Ich habe mich mit brennender Zigarette in ein Hotelbett gelegt. Ich habe Wasserhähne nicht zugedreht. Ich habe auf Parkbänken übernachtet. Ich habe Hunde nicht an der Leine geführt. Ich habe bissigen Hunden keinen Beißkorb umgelegt. Ich habe Stöcke und Schirme nicht an der Garderobe abgegeben. Ich habe vor vollzogenem Kauf Waren berührt. Ich habe Behälter nicht sogleich nach dem Gebrauch des Inhalts wieder verschlossen. Ich habe mit Sprühdosen in Feuer gesprüht. Ich bin bei Rotlicht über Kreuzungen gegangen. Ich bin auf Autobahnen gegangen. Ich bin auf dem Bahnkörper gegangen. Ich bin nicht auf dem Gehsteig gegangen. Ich bin in Straßenbahnen nicht vorgegangen. Ich habe die Haltegriffe nicht benutzt. Ich habe während des Zugaufenthalts in der Station die Toilette benutzt. Ich habe Anweisungen des Personals nicht befolgt. Ich habe auf verbotenen Plätzen Motorfahrzeuge angelassen. Ich habe nicht auf Knöpfe gedrückt. Ich habe in Bahnhöfen die Geleise überschritten. Ich bin bei der Einfahrt von Zügen nicht zurückgetreten. Ich habe die Tragkraft von Aufzügen überfordert. Ich habe die Nachtruhe gestört. Ich habe Plakate auf verbotene Mauern geklebt. Ich habe Türen durch Stoßen öffnen wollen, die durch Ziehen zu öffnen waren. Ich habe Türen durch Ziehen öffnen wollen, die durch Stoßen zu öffnen waren. Ich habe mich nach Einbruch der Dunkelheit auf den Straßen herumgetrieben. Ich habe bei gebotener Verdunkelung Lichter angezündet. Ich habe in Unglücksfällen nicht Ruhe bewahrt. Ich bin bei Ausgehverbot außer Haus gegangen. Ich bin bei einer Katastrophe nicht auf meinem Platz geblieben. Ich habe zuerst an mich selber gedacht. Ich habe ungeordnet Räume verlassen. Ich habe unbefugt Alarmsignale betätigt. Ich habe unbefugt Alarmsignale zerstört. Ich habe nicht die Notausgänge benutzt. Ich habe gedrängt. Ich habe getrampelt. Ich habe nicht mit dem Hammer die Fenster eingeschlagen. Ich habe den Weg versperrt. Ich habe unbefugt Gegenwehr geleistet. Ich bin auf Anruf nicht stehengeblieben. Ich habe die Hände nicht über den Kopf gehalten. Ich habe nicht auf die Beine gezielt. Ich habe bei gezogenem Hahn mit dem Abzug gespielt. Ich habe nicht Frauen und Kinder zuerst gerettet. Ich habe mich Ertrinkenden nicht von hinten genähert. Ich habe die Hände in den Taschen behalten. Ich habe keine Haken geschlagen. Ich habe mir die Augen nicht verbinden lassen. Ich habe keine Deckung gesucht. Ich habe ein leichtes Ziel geboten. Ich bin zu langsam gewesen. Ich bin zu schnell gewesen. Ich habe mich b e w e g t.

Ich habe nicht die Bewegung meines Schattens als Beweis der Bewegung der Erde angesehen. Ich habe nicht meine Furcht im Dunkeln als Beweis meiner Existenz angesehen. Ich habe nicht die Forderung meiner Vernunft nach Unsterblichkeit als Beweis meiner Existenz nach dem Tod angesehen. Ich habe nicht meinen Ekel vor der Zukunft als Beweis meiner Nichtexistenz nach dem Tod angesehen. Ich habe nicht das Nachlassen des Schmerzes als Beweis des Vergehens der Zeit angesehen. Ich habe nicht meine Lust zu leben als Beweis des Stillstands der Zeit angesehen.

Ich bin nicht, was ich gewesen bin. Ich bin nicht gewesen, wie ich hätte sein sollen. Ich bin nicht geworden, was ich hätte werden sollen. Ich habe nicht gehalten, was ich hätte halten sollen.

Ich bin ins Theater gegangen. Ich habe dieses Stück gehört. Ich habe dieses Stück gesprochen. Ich habe dieses Stück geschrieben.

Hilferufe

an diesem sprechstück können beliebig viele personen mitwirken; es werden jedoch mindestens zwei gebraucht (die männlich oder weiblich sein können). die aufgabe der sprecher ist es, den weg über viele sätze und wörter zu dem gesuchten wort HILFE zu zeigen. sie spielen d a s bedürfnis nach hilfe, losgelöst von einer bestimmen, wirklichen lage, akustisch den zuhörern vor. die sätze und wörter werden dabei nicht in ihrer üblichen bedeutung gesprochen, sondern mit der bedeutung des suchens nach hilfe, während die sprecher nach dem w o r t hilfe suchen, brauchen sie h i l f e ; wenn sie dann aber endlich das w o r t hilfe gefunden haben, haben sie keine h i l f e mehr nötig. bevor sie das wort hilfe finden, sprechen sie *um* hilfe, während sie dann, wenn sie das wort hilfe gefunden haben, nur noch *hilfe* sprechen, ohne es mehr nötig zu haben, *um* hilfe zu sprechen. wenn sie hilfe rufen können, brauchen sie schon nicht mehr *um* hilfe zu rufen: sie sind erleichtert, daß sie hilfe rufen können. das wort HILFE hat seine bedeutung verloren.
auf dem weg zu dem wort hilfe geraten die sprecher immer wieder in die bedeutungsnähe oder auch nur in die akustische nähe des gesuchten wortes: je nach dieser nähe ändert sich auch die jeweilige NEIN-antwort, die auf jeden versuch folgt: die formale spannung des sprechens wird größer; sie ist in ihrem ablauf etwa der geräuschkurve bei einem fußballspiel ähnlich: je näher die stürmer dem tor des gegners kommen, desto mehr schwillt das massengeräusch, stirbt dann aber jeweils nach einem mißlungenen oder vereitelten versuch wieder ab, schwillt von neuem an usw., bis das wort HILFE in einem letzten ansturm gefunden ist: dann herrscht eitel freude und sonnenschein unter den sprechern.
die zuschauer und zuhörer erkennen bald, um was es den sprechern geht, wenn sie freilich, wie beim kasperlespiel die kinder, den spielern zurufen wollen, um was es geht: HILFE, so werden die sprecher, wie beim kasperlespiel die vom krokodil bedrohten, nicht verstehen, worum es geht, vielmehr die hilfreichen HILFE-zurufe nur als *wirkliche* hilferufe auf-

nehmen, die die sprecher nur beim *spiel* stören. am schluß, als die sprecher endlich das wort hilfe gefunden haben, wird dieses zu einem großen triumphschrei und so oft wiederholt, bis seine bedeutung völlig durcheinandergekommen ist. das *sprechen* des wortes h i l f e wird zu einer ovation, die dem *wort* hilfe gebracht wird. wenn diese ovation fast unerträglich wird, bricht der massenchor ab, und ein sprecher spricht sofort das wort HILFE allein, ohne den ausdruck der freude, aber auch ohne einen ausdruck der hilfsbedürftigkeit. das wort HILFE wird so einmal gesprochen.
die sprecher können zwischendurch auch COCA COLA trinken.

zum abschluß indem wir noch einmal an euch alle denken rufen wir euch auf und laden euch ein mit uns gemeinsam die wege zu gegenseitigem verstehen zu vertieftem wissen zu einem weiten herzen zu einem brüderlichen leben in der einen wahrhaft weltumspannenden gemeinschaft der menschen zu suchen: NEIN.

unmittelbar nach dem mordanschlag haben die behörden alle zur verfügung stehenden mittel aufgeboten um klarheit über die mordtat zu gewinnen: NEIN. belasten sie sich nicht mit unnötigen sorgen sondern genießen sie die schöne zeit: NEIN. die behauptung daß die fraglichen personen gezwungen wurden das flugzeug zu besteigen ist aus der luft gegriffen: NEIN. die gefahr beruflich den anschluß zu verlieren ist zur Zeit gering: NEIN. auch die besucher nach ihnen wollen das handtuch benutzen: NEIN. der krüppel kann nichts dafür daß er ein krüppel ist: NEIN.

ein zum tod verurteilter ist enflohen: NEIN. das staatsoberhaupt hat im namen aller einen kranz niedergelegt: NEIN. die arbeitslosigkeit ist weiter zurückgegangen: NEIN. im eis haben sich an einigen stellen risse gezeigt: NEIN. der lehrer hat den ungehorsamen schüler getadelt: NEIN. das hoch hat sich nach osten verlagert: NEIN. ein altes sprichwort hat etwas gesagt: NEIN. im befinden des angeschossenen ist neuerlich eine verschlechterung eingetreten: NEIN. der feldherr hat die tapferen truppen zum sieg geführt: NEIN. das besteck ist keimfrei gemacht: NEIN.

die königin trug einen neuen hut: NEIN. ein unbekannter warf einige grabsteine um: NEIN. der schauspieler erlitt auf offener bühne einen schwächeanfall: NEIN. eine feuchte Lippe war die ursache eines totschlags: NEIN. die gebeine wurden in aller stille zur letzten ruhe gebettet: NEIN. die arbeiter hausten damals unter menschenunwürdigen verhältnissen: NEIN. zwei völker reichten einander die hand: NEIN. e i n toter konnte bis jetzt identifiziert werden: NEIN. die zeitung erschien gestern nicht: NEIN. der mond schob sich planmäßig vor die sonne: NEIN. der herrscher ging zu fuß: NEIN.

die wagen der ersten klasse befinden sich im vorderen zugabschnitt: NEIN. nach dem kochen ist der pilz nicht mehr so giftig: NEIN. die familie ist die keimzelle des staates: NEIN. aus besonderem anlaß erscheint die zeitung in doppeltem umfang: NEIN. jeder kann heute satt werden: NEIN. die züge fahren nur bis zur grenze: NEIN. selbst die grimmigen polizisten werden beim anblick der herrscherin weich: NEIN. das mädchen schmückt den tisch mit einer rose: NEIN. auf grund der ständig steigenden löhne sehen wir uns gezwungen den preis geringfügig zu erhöhen: NEIN. der könig schweigt: NEIN. hier wird englisch gesprochen: NEIN. die schwester des bauern ist im wald: NEIN. messer gabel schere und licht sind nichts für kleine kinder: NEIN. die bombe kommt aus dem osten: NEIN. was recht ist muß recht bleiben: NEIN. unsere räume sind gekühlt: NEIN. der vater arbeitet auf dem feld: NEIN. wer nicht hören will muß fühlen: NEIN.

das frühstück ist im preis inbegriffen: NEIN. sie betreten verbotenes gelände: NEIN. der zug wird voraussichtlich mit einigen minuten verspätung eintreffen: NEIN. wir danken ihnen für ihren besuch: NEIN. unleserliche gesuche werden zurückgewiesen: NEIN. alkohol in mäßigen mengen genossen ist nicht schädlich: NEIN. haben sie ihre rundfunkgebühren schon bezahlt: NEIN. du mußt draußen bleiben die Polizei verlangt es: NEIN. der suchdienst des roten kreuzes sucht folgende zivilpersonen: NEIN. auf den kopf des täters ist eine hohe belohnung gesetzt: NEIN. die letzte reihe muß frei bleiben: NEIN. alles wartet gespannt auf den schlußpfiff: NEIN. verspätete reklamationen werden nicht berücksichtigt: NEIN. stellen sie bitte ihre geräte auf zimmerlautstärke: NEIN. folgen sie mir unauffällig: NEIN. wir wünschen ihnen ein gute reise: NEIN. mundraub wird mit tode bestraft: NEIN zeigen sie ihre hände: NEIN. grün ist gut für die augen: NEIN. der monarch ist reformfreudig: NEIN. geben sie mir ihren ausweis: NEIN. wer sich nach sonnenuntergang auf offener straße befindet wird erschossen: NEIN.

weitergehen auf eigene gefahr: NEIN. warm halten: NEIN. an dieser stelle abreißen: NEIN. unzutreffendes streichen: NEIN. nicht kassierte münzen unten entnehmen: NEIN. hinten einsteigen: NEIN. zwei stunden nichts essen: NEIN. karten unaufgefordert vorweisen: NEIN. die scheibe eindrücken: NEIN. nicht stören: NEIN. den diensteingang benützen: NEIN. die gebrauchsanweisung genau durchlesen: NEIN. mit blockbuchstaben säuberlich ausfüllen: NEIN. kopf einziehen: NEIN. kinder an der hand halten: NEIN. den kassenzettel aufbewahren: NEIN. schlüssel zweimal umdrehen: NEIN. nicht den kopf verlieren: NEIN. still halten: NEIN. dem ertrunkenen nichts zu trinken geben: NEIN. schmutzflecke nicht mit speichel entfernen: NEIN. ausweise bereithalten: NEIN. weitergehen: NEIN. nicht knicken: NEIN. schuhe abstreifen: NEIN. umsteigen: NEIN. platz machen: NEIN. oberhalb der bißwunde abbinden: NEIN. ziehen lassen: NEIN. NEIN. j e t z t kaufen: NEIN. den arm heben: NEIN. umrühren: NEIN. amtszeichen abwarten: NEIN. einmal läuten: NEIN. türen schließen: NEIN. vor sonnenlicht schützen: NEIN.

im namen der republik: NEIN. in einem teil unsrer gestrigen auflage: NEIN. mittagspause von zwölf bis vierzehn uhr: NEIN. ein halbes jahr garantie: NEIN. die erste tür links: NEIN. achtung bauarbeiten: NEIN. prüfe deine schrecksekunde: NEIN. garderobe frei: NEIN. schonzeit von märz bis september: NEIN. blutgruppe o: NEIN. lehrjunge gesucht: NEIN. sonnige lage: NEIN. in abwesenheit zum tode verurteilt: NEIN. maße fünfundneunzig-sechzig-achtundachtzig: NEIN. v o r der behandlung und n a c h der behandlung: NEIN. kein trinkwasser: NEIN. polizei fünftausend meter: NEIN. auf vielfachen wunsch: NEIN. nicht an samstagen:

NEIN. ein unbekannter toter: NEIN. schalter vorübergehend geschlossen: NEIN. zwei bis drei löffel am tag: NEIN. gefahr im verzug: NEIN. kein speisewagen: NEIN. aus unserem katalog: NEIN. zweiundfünfzigste woche!: NEIN. frisch gestrichen: NEIN. heute durchgehend geöffnet: NEIN. wegen überlänge des films keine wochenschau: NEIN. extraausgabe: NEIN. unbekannt verzogen: NEIN. nur an werktagen: NEIN. gegen erstickungsanfälle: NEIN. bahnsteig eins: NEIN. empfänger hier unbekannt: NEIN. geänderte anfangszeiten: NEIN. eigentumswohnungen: NEIN. verdunkelungsgefahr: NEIN. sackgasse: NEIN. gegen ungeziefer: NEIN. nie wieder krieg: NEIN. abteil für frau und kind: NEIN. in der zehnten runde: NEIN. freiwillige vor: NEIN. für den ernstfall: NEIN. zur autobahn: NEIN. seife und handtuch im automaten: NEIN. dieser betrieb wird bestreikt: NEIN. frieden in: NEIN. freiheit für: NEIN. lebenslänglich verschärft durch ein hartes lager monatlich und dunkelhaft am jahrestag der tat: NEIN.

licht aus!: NEIN. herein!: NEIN. leise!: NEIN. danke!: NEIN. melde gehorsamst!: NEIN. kopf hoch!: NEIN. an alle!: NEIN. vorname!: NEIN. ab heute!: NEIN. der nächste!: NEIN. vorsicht!: NEIN. bitte nach ihnen!: NEIN. beruf!: NEIN. niemals!: NEIN. leider!: NEIN. zur dusche!: NEIN. gesucht!: NEIN. bis auf weiteres!: NEIN. durch den strang!: NEIN. her damit!: NEIN. tür zu!: NEIN. ausziehen!: NEIN. ab sofort!: NEIN. nieder!: NEIN. weiter!: NEIN. fuß!: NEIN. zurück!: NEIN. inri!: NEIN. bravo!: NEIN. hände hoch!: NEIN. augen zu!: NEIN. rauch!: NEIN. in die ecke!: NEIN. pst!: NEIN. aha!: NEIN. setzen!: NEIN. hände auf den tisch!: NEIN. an die wand!: NEIN. kein aber!: NEIN. weder vor noch zurück! NEIN. ja!: NEIN. kein später!: NEIN. hinlegen!: NEIN. kein halten!: NEIN. halt!: NEIN. feuer!: NEIN. ich ertrinke!: NEIN. ah!: NEIN. ach!: NEIN. nein!: NEIN. hallo!: NEIN. heilig!: NEIN. heilig heilig heilig!: NEIN. hierher!: NEIN. mund zu!: NEIN. heiß!:

NEIN. luft!: NEIN. hissen!: NEIN. wasser!: NEIN. davon!: NEIN. lebensgefahr!: NEIN. nie wieder!: NEIN. todesgefahr!: NEIN. alarm!: NEIN. rot!: NEIN. heil!: NEIN. licht!: NEIN. hinten!: NEIN. nicht!: NEIN. da!: NEIN. hier!: NEIN. hinauf!: NEIN. hin!: NEIN. NEIN. NEIN:
hilfe?: JA!
hilfe?: JA!
hilfe?: JA!

hilJAfeJAhilJAfeJAhilJAfeJAhilJAfeJAhilJAfeJAhilJAfeJAhilfe

hilfe

Kaspar

16 jahr

thechdthen jahr
thüdothdbahnhof
wath tholl
wath tholl
der machen
thüdothdbahnhof
thechdthen jahr
wath tholl
wath tholl
der bursch
wath tholl
der machen
wath tholl
wath tholl
der machen
thechdthen jahr
thüdothdbahnhof
wath tholl
der machen
der bursch
mit theine
thechdthen jahr

Ernst Jandl

Das Stück ›Kaspar‹ zeigt nicht, wie ES WIRKLICH IST oder WIRKLICH WAR mit Kaspar Hauser. Es zeigt, was MÖGLICH IST mit jemandem. Es zeigt, wie jemand durch Sprechen zum Sprechen gebracht werden kann. Das Stück könnte auch ›Sprechfolterung‹ heißen. Zur Formalisierung dieser Folterung wird dem aufführenden Theater vorgeschlagen, für jeden Zuschauer sichtbar, zum Beispiel über die Rampe, eine Art von magischem Auge aufzubauen, das, ohne freilich die Zuschauer von dem Geschehen auf der Bühne abzulenken, durch sein Zusammenzucken jeweils die Sprechstärke anzeigt, mit der auf den HELDEN eingeredet wird. Je heftiger dieser sich wehrt, desto heftiger wird auf ihn eingesprochen und desto heftiger zuckt das magische Auge zusammen (es könnte auch ein zuckender Zeiger verwendet werden, wie man ihn etwa zum Anzeigen von Kraftakten findet). Die Stimmen, die auf den Helden einsprechen, sollten, obwohl in ihrem Sinn immer ganz verständlich, die Sprechweisen von Stimmen sein, bei denen auch in der Wirklichkeit ein technisches Medium zwischengeschaltet ist: Telefonstimmen, Radio- und Fernsehansagerstimmen, die Stimmen der Zeitansage im Telefon, die automatischen Antworttonbänder (ZUGAUSKUNFT BITTE WARTEN), die Sprechweisen von Fußballkommentatoren, von Stadionssprechern, von Kommentatoren in den lieblicheren amerikanischen Zeichentrickfilmen, von Ansagern der Zugankünfte und -abfahrten, von Interviewern, von Gymnastiklehrerinnen, die in der Sprechweise ihrer Bewegungsanweisungen sich dem Ablauf der Gymnastikbewegungen anpassen, von Sprachkursschallplatten, von Polizisten, wie sie bei Aufläufen durch Megaphone sprechen etc. etc. — Alle diese Sprechweisen können auf den Text angewendet werden, freilich nur so, daß durch sie der SINN oder UNSINN des Eingesagten verdeutlicht wird. Die Zuschauer brauchen nicht zu erkennen, welche Sprechweise gerade angewendet wird, sondern etc. Die Miniaturszenen sollten gleichzeitig vergrößert an die Rückseite der Bühne projiziert werden.

Kaspar hat keine Ähnlichkeit mit einem Spaßmacher; er gleicht

vielmehr von Anfang an, als er auf die Bühne kommt, Frankensteins Monster (oder King Kong).
Die Bühne ist schon offen. Die Zuschauer sehen das Bühnenbild nicht als Bild eines woanders gelegenen Raumes, sondern als Bild von der Bühne. Das Bühnenbild stellt die Bühne dar. Die Gegenstände auf der Bühne sehen schon auf den ersten Blick theatralisch aus: nicht weil sie nachgemacht sind, sondern weil ihre Anordnung zueinander nicht ihrer üblichen Anordnung in der Wirklichkeit entspricht. Die Gegenstände, obwohl echt (aus Holz, Stahl, Stoff), sind sofort als Requisiten erkennbar. Sie sind Spielgegenstände. Sie haben keine Geschichte. Die Zuschauer können sich nicht vorstellen, daß, bevor sie eingetreten sind und die Bühne erblickt haben, auf der Bühne eine Geschichte schon vor sich gegangen ist. Sie können sich höchstens vorstellen, daß die Bühnenarbeiter die Gegenstände hierhin und dorthin gestellt haben. Ebensowenig können sich die Zuschauer vorstellen, daß die Gegenstände auf der Bühne die Gegenstände einer Geschichte sein werden, die vorgibt, irgendwoanders vor sich zu gehen als auf der Bühne: sie erkennen sofort, daß sie einem Vorgang zusehen werden, der nicht in irgendeiner Wirklichkeit, sondern auf der Bühne spielt. Sie werden keine Geschichte miterleben, sondern einen theatralischen Vorgang sehen. Dieser Vorgang wird solange dauern, bis am Schluß des Stücks der Vorhang zugehen wird: weil keine Geschichte vor sich gehen wird, können sich die Zuschauer auch keine Nachgeschichte vorstellen, höchstens ihre eigene (oder daß die Bühnenarbeiter die Requisiten wieder wegräumen). Im einzelnen sieht die Bühne ungefähr so aus: die hintere Begrenzung der Bühne wird durch einen Vorhang gebildet, der in seiner Größe und Beschaffenheit dem Vorhang zum Zuschauerraum entspricht. Die Falten des Vorhangs fallen gerade und ziemlich dicht, so daß die Zuschauer schwerlich den Spalt erkennen, an dem sich der Vorhang teilen läßt. Die Seitenbegrenzungen der Bühne sind unverstellt. Vor dem hinteren Vorhang befinden sich die Requisiten: es ist deutlich, daß sie benützt werden wie die Requisiten eines Schaustellers. Sie

sind alle neuwertig, damit die Zuschauer nicht meinen, sie hätten es mit dem Bild eines Gerümpelladens zu tun; um das zu vermeiden, befinden sich die Gegenstände auch in den ihnen gemäßen Stellungen: die Stühle stehen, der Besen lehnt, Polster liegen, Schnüre hängen, die Tischlade steckt im Tisch. Damit andererseits die Zuschauer nicht vermuten, sie hätten es mit dem Bild einer Wohnkulturausstellung zu tun (vorderhand jedenfalls), stehen die Gegenstände ohne Beziehung zueinander, ja sie stehen sogar geschmacklos, so, daß die Zuschauer in den ausgestellten Gegenständen die Bühne erkennen. Die Stühle stehen so weit vom Tisch entfernt, als gehörten sie gar nicht zum Tisch; außerdem stehen sie nicht im üblichen Winkel zum Tisch, auch nicht im üblichen Winkel zueinander, wenngleich sie auch nicht die Geschichte einer Unordnung vortäuschen sollen. Der Tisch steht mit der Lade zum Zuschauer. Irgendwo auf der Bühne steht noch ein Tisch, kleiner, niedriger, mit drei Beinen. Nichts steht in der Mitte. Zwei Stühle stehen irgendwo auf der Bühne, der eine zum Beispiel mit zwei Rückenstäben, der andere mit drei; auf dem einen liegt zum Beispiel ein Polster, auf dem andern nicht. Irgendwo auf der Bühne, zur Hälfte — für die Zuschauer, die in der Mitte des Zuschauerraums sitzen — hinter einer Seitenbegrenzung der Bühne verschwunden (so den Bühnenraum zeigend), steht ein Sofa, das zur Not Platz für etwa fünf Personen bietet. Irgendwo auf der Bühne steht ein Schaukelstuhl. Irgendwo auf der Bühne lehnen Bühnenbesen und Schaufel, eins von beiden vielleicht sogar mit dem leicht lesbaren Aufdruck: BÜHNE oder dem Namen der aufführenden Bühne. Irgendwo auf der Bühne, mit dem gleichen Aufdruck steht ein Papierkorb, der sichtbar leer ist. Auf dem großen Tisch, aber nicht in der Mitte, steht eine weithalsige Flasche mit Wasser, daneben ein schlichtes Glas. Irgendwo im Hintergrund der Bühne steht noch ein stilvoller Schrank, in dem ein großer Schlüssel steckt. Die Requisiten sehen insgesamt wie zusammengesetzt aus vielen anderen Stücken aus, ohne daß freilich die Zuschauer auch nur den Ansatz der Geschichte eines dieser

andern Stücke erkennen. Die Gegenstände, obwohl zusammengesetzt, widersprechen einander nicht. Sie sind von der bekannten zeitlosen Form. Der Schaukelstuhl könnte ebensogut ersteigert worden sein wie aus einem Warenhaus stammen. Kein Gegenstand hat besondere Merkmale, die Rätsel aufgeben. Vorn an der Rampe, in der Mitte, steht ein Mikrofon.
Der erste Zuschauer, der eintritt, sieht schon die Bühne mild beleuchtet. Nichts bewegt sich auf ihr. Jeder Zuschauer hat Zeit genug, jeden Gegenstand zu betrachten und sich an ihm satt oder hungrig zu sehen. Schließlich, etwa von einem sanften, anhaltenden (»der Ton der Geige ist ausführlicher als der der Gitarre«-Kaspar) Geigenton begleitet, geht das Licht im Zuschauerraum langsam auf die übliche Weise aus. Der Zuschauerraum bleibt während des Spiels dunkel. (Während die Zuschauer den Raum betreten und auf den Anfang des Spiels warten, könnte ihnen dieser Text über die Lautsprecher leise vorgesagt und wiederholt werden.)

I

Hinter dem Vorhang an der Rückseite des Bühnenraums entsteht eine Bewegung, deren Entstehen die Zuschauer an der Bewegung des Vorhangs verfolgen können. Die Bewegung entsteht an der linken oder rechten Seite des Vorhangs und setzt sich allmählich, dabei heftiger und schneller werdend, gegen die Mitte des Vorhangs fort. Je näher die Person hinter dem Vorhang der Mitte kommt, desto weiter wird der Vorhang nach innen gedrückt. Was zuerst nur eine Berührung war, wird jetzt, als sich der Stoff als nachgiebig erweist, der Versuch durchzukommen. Die Zuschauer erkennen immer deutlicher, daß jemand durch den Vorhang auf die Bühne will, aber bis jetzt den Spalt im Vorhang noch nicht gefunden hat. Nach einigen vergeblichen Versuchen an den falschen Stellen – die Zuschauer hören das Geräusch des Vorhangs, als auf ihn eingeschlagen wird – gelingt es der Person, den Spalt zu finden, den sie gar nicht gesucht hat. Der zuerst sichtbaren Hand folgt sehr langsam der übrige Körper. Die andere Hand hält den Hut fest, damit ihn der Vorhang nicht zu Boden wirft. Die Gestalt tut eine kleine Bewegung auf die Bühne, so daß sich der Vorhang nach und nach von ihr löst und hinter ihr wieder zusammenfällt. Kaspar steht auf der Bühne.

2

Die Zuschauer haben die Gelegenheit, Kaspars Gesicht und Aufmachung zu betrachten: er steht da. Seine Aufmachung ist eine theatralische. Er trägt etwa einen runden breiten Hut mit einem Band. Er trägt ein helles Hemd mit geschlossenem Kragen. Seine Jacke ist farbenfroh und mit vielen (etwa sieben) Metallknöpfen besetzt. Seine Hose ist weit. Er trägt klobige Schuhe; an einem Schuh ist zum Beispiel das sehr lange Schuhband aufgegangen. Er sieht »pudelnärrisch« aus. Die Farben seiner Kleidung schlagen sich mit den übrigen Farben auf der

Bühne. Erst auf den zweiten oder dritten Blick erkennen die Zuschauer, daß sein Gesicht eine Maske ist; ihre Gesichtsfarbe ist »bleich«; sie sieht sehr lebensecht aus; sie ist dem Gesicht vielleicht angepaßt; ihr Ausdruck ist der Ausdruck der Verwunderung und Verwirrung. Das Maskengesicht ist rund, weil auf runden und breiten Gesichtern der Ausdruck der Verwunderung theatralischer ist. Kaspar muß nicht groß sein. Er steht da und bewegt sich nicht von der Stelle. Er ist die verkörperte Verwunderung.

3

Er setzt sich in Bewegung. Die eine Hand hält noch immer den Hut fest. Seine Art zu gehen ist eine sehr mechanische, künstliche, eine, die es nicht gibt. Er geht freilich auch nicht wie eine Marionette. Seine Gangart ergibt sich aus dem dauernden Wechsel von verschiedenen Gangarten. Den ersten Schritt geht er etwa mit gestrecktem Bein, wobei das andere »wackelnd« und unsicher nachfolgt; den nächsten Schritt tut er etwa mit der umgekehrten Methode; beim nächsten Schritt wirft er das eine Bein hoch in die Luft und schleift das andre schwer hinter sich her, den nächsten Schritt tut er mit zwei platten Füßen, den nächsten Schritt beginnt er mit dem falschen Bein, so daß er beim nächsten Schritt wieder das andre Bein sehr weit nach vorn setzen muß, um das erste Bein einzuholen; den nächsten Schritt, wobei er immer schneller wird und immer näher ans Umfallen kommt, tut er mit dem rechten Bein nach links und mit dem linken nach rechts, worauf er um ein Haar umfällt; beim nächsten Schritt kommt er mit dem einen Bein nicht am andern vorbei und tritt hinten dagegen, worauf er wieder Mühe hat nicht umzufallen; beim nächsten Schritt ist seine Schrittweite so groß, daß er fast in den Spagat ausrutscht und das andre Bein sehr langwierig nachziehen muß; mit dem ersten Bein hat er sich inzwischen schon hastig weiterbewegen wollen, bewegt sich aber in die falsche Richtung, so daß er wieder bei-

nah das Gleichgewicht verliert; beim nächsten Schritt, noch hastiger, setzt er den einen Fuß mit der Spitze nach vorn, den andern aber mit der Spitze nach hinten, worauf er nun beim nächsten Schritt mit einem Ruck auch die Spitze des ersten Fußes der nach hinten weisenden Spitze des zweiten Fußes angleichen will, dabei nicht mehr mit sich zurechtkommt und, sich um die Achse drehend, nachdem die Zuschauer schon die ganze Zeit sein Fallen befürchtet haben, endlich zu Boden fällt. Sein Gehen vorher hatte nicht die Richtung geradewegs auf die Zuschauer zu, sondern verlief in Spiralen hin und her über die nicht zu kleine Bühne; es ist kein Gehen gewesen, sondern eine Mittelbewegung zwischen immerfort drohendem Fallen und verschlungenem Weiterkommen, wobei die eine Hand immerzu den Hut festhielt, der auch beim endgültigen Fallen auf dem Kopf geblieben ist. Am Ende des Falls sehen die Zuschauer Kaspar im unordentlichen Schneidersitz auf dem Boden der Bühne. Er bewegt sich nicht, nur die Hand am Hut macht sich selbständig: sie rutscht allmählich vom Kopf, fällt am Körper hinunter. Sie baumelt noch ein wenig, bevor auch sie sich nicht mehr bewegt. Kaspar sitzt da.

4

Er fängt zu sprechen an. Er sagt immer nur einen Satz: Ich möcht ein solcher werden wie einmal ein andrer gewesen ist. *Er sagt den Satz hörbar ohne Begriff von dem Satz, ohne damit etwas auszudrücken als daß er eben noch keinen Begriff von dem Satz hat. Er wiederholt den Satz einige Male in gleichmäßigen Abständen.*

5

In der gleichen Stellung auf dem Boden, im Schneidersitz, wiederholt Kaspar den Satz, jetzt mit fast allen möglichen Spiel-

arten von Ausdruck. Er setzt ihn mit dem Ausdruck der Beharrlichkeit. Er setzt ihn mit dem Ausdruck der Frage. Er ruft den Satz aus. Er skandiert. Er spricht den Satz freudig. Er spricht den Satz erleichtert. Er spricht mit Gedankenstrichen. Er spricht ihn mit Wut und Ungeduld. Er spricht den Satz mit äußerster Angst. Er spricht ihn wie einen Gruß, wie eine Anrufung aus einer Litanei, wie eine Antwort auf eine Frage, wie einen Befehl, wie eine Bitte. Dann, eintönig zwar, singt er den Satz. Schließlich schreit er ihn.

6

Als er so nicht weiterkommt, steht er auf. Er versucht zunächst, mit e i n e r Bewegung aufzustehen. Das gelingt ihm nicht. Er fällt aus halber Höhe auf den Boden zurück. Er fällt beim zweiten Versuch, fast ganz aufgerichtet, auf den Boden zurück. Jetzt zieht er langwierig die Beine unter sich hervor, wobei die Fußspitzen zum Beispiel in den Kniekehlen hängenbleiben. Er nimmt schließlich die Hände zuhilfe und zieht die Beine auseinander. Er streckt die Beine aus. Er schaut die Beine an. Er knickt gleichzeitig die Knie und zieht sie an sich. Plötzlich hockt er. Er schaut zu, wie sich der Boden von ihm entfernt. Er zeigt, mit der ganzen Hand, auf den sich entfernenden Boden. Er sagt verwundert den Satz. Er steht jetzt aufrecht da, wendet den Kopf hin und her, zu den Gegenständen, und sagt wieder den Satz: Ich möcht ein solcher werden wie einmal ein andrer gewesen ist.

7

Er fängt wieder zu gehen an, mit einem künstlichen, jetzt aber gleichmäßigen Gang: zum Beispiel sind die Füße sehr nach innen gekehrt, die Knie sehr steif; die Arme hängen schlaff, auch die Finger hängen schlaff. Er richtet den Satz, nicht tonlos, aber auch ohne etwas auszudrücken, an einen Stuhl. Er richtet den Satz, indem er mit ihm ausdrückt, daß der erste Stuhl ihn nicht gehört hat, an den nächsten Stuhl. Er richtet den Satz, indem er weitergeht, an den Tisch, indem er dabei ausdrückt, daß beide Stühle ihn nicht gehört haben. Er richtet den Satz, weitergehend, an den Schrank, indem er mit ihm ausdrückt, daß der Schrank ihn nicht hört. Er sagt den Satz noch einmal vor dem Schrank, aber ohne etwas auszudrücken: Ich möcht ein solcher werden wie einmal ein andrer gewesen ist. *Er stößt wie zufällig mit dem Fuß gegen den Schrank. Er stößt wie absichtlich mit dem Fuß gegen den Schrank. Er stößt noch einmal mit dem Fuß gegen den Schrank: darauf gehen allmählich die Schranktüren auf. Die Zuschauer sehen, daß der Schrank etwa aus einem Raum besteht, in dem vielleicht einige bunte theatralische Gewänder hängen. Kaspar hat auf die Bewegung der Türen nicht reagiert. Er hat sich nur ein wenig zurückschieben lassen. Er steht jetzt still, bis die Türen wieder ohne Bewegung sind. Auf die offenen Türen reagiert er jetzt mit seinem Satz:* Ich möcht ein solcher werden wie einmal ein andrer gewesen ist.

8

Eine Dreiteilung der Vorgänge tritt ein: erstens: Kaspar bewegt sich über die Bühne, jetzt nicht mehr jedem Gegenstand ausweichend, sondern ihn berührend (und mehr); zweitens: Kaspar sagt, nachdem er an jedem Gegenstand etwas angerichtet hat, seinen Satz; drittens: von allen Seiten setzen jetzt E i n s a g e r ein, die Kaspar durch Sprechen zum Sprechen bringen. Die Einsager, etwa drei Personen, nicht sichtbar (ihre Stimmen kommen vielleicht vom Band) sprechen ohne Unter- und Übertöne, das heißt, sie sprechen weder mit den üblichen Ausdrucksmitteln der Ironie, des Humors, der Hilfsbereitschaft, der menschlichen Wärme noch mit den üblichen Ausdrucksmitteln des Unheimlichen, des nicht Geheuren, des Übersinnlichen, des Übernatürlichen; sie sprechen verständlich. Sie sprechen, über eine gute

Raumanlage, einen Text, der nicht der ihre ist. Sie sprechen nicht mit den üblichen Mitteln einen S i n n, *sie* s p i e l e n S p r e - c h e n, *und das mit größter Anspannung der Stimmen, auch wenn sie leise sind. Er ergibt sich folgender Ablauf: die Zuschauer sehen zur gleichen Zeit Kaspar vom Schrank zum Sofa gehen und hören von allen Seiten sprechen:*

Kaspar geht zum Sofa. Er entdeckt die Spalten zwischen den Sofateilen. Er steckt die Hand in einen Spalt. Er kriegt die Hand nicht mehr heraus. Er steckt zur Hilfe die zweite Hand hinein. Er kriegt beide Hände nicht mehr aus dem Spalt. Er reißt an dem Sofa. Er bekommt mit einem Ruck beide Hände frei, wobei er auch einen Sofateil von seinem Platz auf den Boden reißt, worauf er nach einem Augenblick des Schauens den Satz sagt: Ich möcht ein solcher werden wie einmal ein andrer gewesen ist.

Schon hast du einen Satz, mit der du dich bemerkbar machen kanns Du kannst dich mit dem Satz ir Dunkeln bemerkbar machen, dami man dich nicht für ein Tier häl Du hast einen Satz, mit dem d dir s e l b e r schon alles sage kannst, was du a n d e r e n *nich* sagen kannst. Du kannst dir selbe erklären, wie es um dich steht. D hast einen Satz, mit dem du der gleichen Satz schon widersprech kannst.

Die Einsager haben ungefähr zu sprechen aufgehört, wenn Kaspar an dem jeweiligen Gegenstand etwas angerichtet hat: Der Sofateil fällt zur gleichen Zeit auf den Boden als die Sprecher ihren Punkt setzen. Dem Satz Kaspars am Ende jedes Zusammentreffens mit den Gegenständen geht eine kleine Pause voraus.

9

Kaspar geht zum Tisch. Er bemerkt die Lade im Tisch. Er dreht an dem Knopf an der Lade, kann ihn aber nicht drehen. Er zieht an der

Der Satz ist dir nützlicher als ei Wort. Einen Satz kannst du z Ende sprechen. Mit einem Sat kannst du es dir gemütlich mache

Lade. Die Lade rückt ein Stück heraus. Kaspar zieht noch einmal an der Lade. Die Lade hängt schon schief im Tisch. Er zieht noch einmal an der Lade. Die Lade verliert den Halt und fällt zu Boden. Einige Gegenstände, etwa Besteck, eine Streichholzschachtel, Münzen, fallen aus der Lade. Nach einem Augenblick des Schauens: Ich möcht ein solcher werden wie einmal ein andrer gewesen ist.

Du kannst dich mit dem Satz beschäftigen und unterdessen schon einige Schritte weitergekommen sein. Mit dem Satz kannst du Pausen machen. Ein Wort gegen das andre ausspielen. Ein Wort mit dem andern vergleichen kannst du mit dem Satz. Nur mit dem Satz, nicht mit einem Wort, kannst du dich zu Wort melden.

10

Kaspar geht zu einem Stuhl. Er versucht gerade weiterzugehen, obwohl ihm der Stuhl im Weg steht. Er schiebt den Stuhl gehend vor sich her. Er geht weiter. Der Stuhl fällt nicht um. Kaspar verfängt sich im Weitergehen im Stuhl. Weitergehend versucht er sich von dem Stuhl zu befreien. Zuerst verfängt er sich immer gefährlicher in dem Stuhl, aber dann, als er sich gefangen geben will, kommt er gerade dadurch frei. Er gibt dem Stuhl einen Tritt, daß er wegfliegt und umfällt. Nach einem Augenblick des Schauens: Ich möcht ein solcher werden wie einmal ein andrer gewesen ist.

Du kannst dich mit dem Satz dumm stellen. Dich mit dem Satz gegen andre Sätze behaupten. Alles bezeichnen, was sich dir in den Weg stellt, und es aus dem Weg räumen. Dir alle Gegenstände vertraut machen. Mit dem Satz alle Gegenstände zu einem Satz machen. Du kannst alle Gegenstände zu deinem Satz machen. Mit diesem Satz gehören alle Gegenstände zu dir. Mit diesem Satz gehören alle Gegenstände dir.

11

Kaspar geht zum kleinen Tisch. Der Tisch hat drei Beine. Kaspar hebt den Tisch mit der einen Hand an und zieht mit der andern an einem Bein, kann das Bein aber nicht herausziehen. Er dreht an dem Bein, zuerst in die falsche Richtung. Er dreht in die richtige Richtung. Er dreht das Bein heraus, hält aber den Tisch noch mit der andern Hand im Gleichgewicht. Er zieht die Hand langsam weg. Der Tisch ruht auf seinen Fingerspitzen. Er zieht die Fingerspitzen langsam weg. Der Tisch kippt um. Nach einem Augenblick des Schauens: Ich möcht ein solcher werden wie einmal ein andrer gewesen ist.

Zum Widerstandleisten. Einen Satz zum Ablenken. Du hast einen Satz, mit dem du dir eine Geschichte erzählen kannst. Du hast einen Satz, an dem du zu beißen hast, wenn du hungrig bist. Einen Satz, mit dem du dich verrückt stellen kannst: mit dem du verrückt werden kannst. Einen Satz zum Verrücktsein: zum Verrücktbleiben. Du hast einen Satz, mit dem du auf dich selber aufmerksam werden kannst: mit dem du von dir selber ablenken kannst. Einen Satz zum Spazierengehen. Zum Versprechen. Zum Stocken. Zum Schrittzählen.

12

Kaspar geht zum Schaukelstuhl. Er geht um den Schaukelstuhl herum. Er berührt den Schaukelstuhl wie unabsichtlich. Der Schaukelstuhl gerät in Bewegung. Kaspar tritt einen Schritt zurück. Der Schaukelstuhl bewegt sich. Kaspar tritt noch einen Schritt zurück. Der Schaukelstuhl hört auf sich zu bewegen. Kaspar tritt zwei Schritte auf den Schaukelstuhl zu und setzt ihn ein wenig mit dem Fuß in Bewegung. Als der

Du hast einen Satz, den du vom Anfang zum Ende und vom Ende zum Anfang sprechen kannst. Du hast einen Satz zum Bejahen und zum Verneinen. Du hast einen Satz zum Leugnen. Du hast einen Satz, mit dem du dich müde und wach machen kannst. Du hast einen Satz, mit dem du dir die Augen verbinden kannst. Du hast einen Satz, mit dem du jede Unordnung in Ordnung bringen kannst: mit dem du

Schaukelstuhl schaukelt, setzt er ihn mit der Hand in heftigere Bewegung. Als der Schaukelstuhl heftiger schaukelt, setzt er ihn mit dem Fuß in noch heftigere Bewegung. Als der Schaukelstuhl noch heftiger schaukelt, gibt er ihm mit der Hand einen noch stärkeren Stoß, so daß der Schaukelstuhl jetzt gefährlich heftig schaukelt. Er gibt ihm mit dem Fuß noch einen Stoß. Dann, als der Schaukelstuhl gerade an den Kippunkt gelangt und es einen Augenblick lang unsicher ist, ob er fallen oder weiterschaukeln wird, gibt er ihm mit der Hand einen ganz leichten Stoß, der aber ausreicht, daß der Schaukelstuhl umkippt. Kaspar rennt vor dem umgekippten Schaukelstuhl davon. Dann kehrt er Schritt für Schritt zurück. Nach einem Augenblick des Schauens: Ich möcht ein solcher werden wie einmal ein andrer gewesen ist.

jede Unordnung im Vergleich zu einer anderen Unordnung als verhältnismäßige Ordnung bezeichnen kannst: mit dem du jede Unordnung zur Ordnung erklären kannst: dich selber in Ordnung bringen kannst: jede Unordnung wegsprechen kannst. Du hast einen Satz, an dem du dir ein Beispiel nehmen kannst. Du hast einen Satz, den du zwischen dich und alles andere stellen kannst. Du bist der glückliche Besitzer eines Satzes, der dir jede unmögliche Ordnung möglich und jede mögliche und wirkliche Unordnung unmöglich machen wird: der dir jede Unordnung austreiben wird.

13

Kaspar schaut sich um. Ein Besen steht da. Er geht zum Besen. Er vergrößert den Winkel, in dem der Besen dalehnt, indem er ihn mit der Hand oder mit dem Fuß unten etwas an sich heranzieht. Er zieht noch einmal und vergrößert wieder

Du kannst dir nichts mehr vorstellen ohne den Satz. Ohne den Satz kannst du keinen Gegenstand sehen. Du kannst ohne den Satz keinen Fuß mehr vor den andern setzen. Du kannst dich mit dem Satz erinnern, weil du beim letzten Schritt *den Winkel. Er zieht noch einmal, sehr wenig. Der Besen kommt allmählich ins Rutschen und fällt um. Nach einem Augenblick des Schauens:* Ich möcht ein solcher werden wie einmal ein andrer gewesen ist.

den Satz gesprochen hast, und du kannst dich an den letzten Schritt erinnern, weil du den Satz gesprochen hast.

14

Kaspar geht zu dem einen Stuhl, der noch steht. Er bleibt vor dem Stuhl stehen. Er bleibt noch für die Dauer dieses Satzes stehen. Plötzlich setzt er sich. Nach einem Augenblick des Schauens: Ich möcht ein solcher werden wie. *Er ist vorderhand zum Stocken gebracht.*

Du kannst dich hören. Du wirst aufmerksam. Du wirst mit dem Satz auf dich aufmerksam. Du wirst aufmerksam auf d i c h. Du stößt auf etwas, wodurch der Satz unterbrochen wird, wodurch du aufmerksam werden kannst, daß du auf etwas gestoßen bist. Du wirst aufmerksam: du kannst aufmerksam werden: du bist aufmerksam

15

Kaspar sitzt. Er ist still.

Du lernst mit dem Satz zu stocken und du lernst mit dem Satz, d a ß du stockst, und du lernst mit dem Satz zu hören und du lernst mit dem Satz, d a ß du hörst, und du lernst mit dem Satz, die Zeit einzuteilen in die Zeit vor und nach dem Aussprechen des Satzes und du lernst mit dem Satz, d a ß du die Zeit einteilst, so wie du mit dem Satz lernst, daß du woanders warst als du das letzte Mal den Satz gesprochen hast, so wie du mit dem Satz lernst, daß du jetzt woanders bist, und mit dem Satz lernst zu sprechen und mit dem Satz lernst, d a ß du sprichst; und du lernst mit dem Satz, daß du einen Satz sprichst, und du lernst mit dem Satz, einen anderen Satz zu sprechen, so wie du lernst, daß es andere Sätze gibt, so wie du andere Sätze lernst, und zu lernen lernst; und du lernst mit dem Satz, daß es Ordnung gibt, und du lernst mit dem Satz, Ordnung zu lernen.

16

Die Bühne wird schwarz.

Noch kannst du dich hinter dem Satz verkriechen: verstecken: ihn abstreiten. Der Satz kann noch alles bedeuten.

17

Die Bühne wird hell. Kaspar sitzt still. Nichts zeigt, daß er zuhört. Das Sprechen wird ihm beigebracht. Er möchte seinen Satz behalten. Der Satz wird ihm nach und nach durch das Sprechen anderer Sätze ausgetrieben. Er kommt durcheinander.

Der Satz tut dir noch nicht weh kein Wort. Tut dir weh. Jedes Wort tut dir. Weh, aber du weißt nicht, daß das, was dir weh tut, ein Satz ist der. Satz tut dir weh, weil du nicht weißt, daß es ein Satz ist. Das Sprechen tut dir weh, aber das Sprechen tut dir nicht. Weh nichts tut dir weh, weil du noch nicht weißt, was. Weh tun ist alles tut dir weh, aber nichts.

Tut dir wirklich weh der Satz tut. Dir noch nicht weh, weil du noch nicht weißt, daß es ein Satz. Ist obwohl du nicht weißt, daß es ein Satz ist, tut er dir weh, weil du nicht weißt, daß es ein Satz ist, der dir weh. Tut:

Ich möcht ein solcher werden wie einmal ein andrer gewesen ist.

Du fängst, bei dir, an du, bist ein, Satz du, könntest von, dir unzählige, Sätze bilden, du sitzst, da aber, du weißt, nicht daß, du dasitzt. Du sitzt nicht, da weil du, nicht weißt daß, du dasitzt du, kannst von dir, keinen Satz bilden, du sitzt dein, Rock ist zugeknöpft. Der Gürtel, an deiner, Hose ist, zu weit geschnallt, du hast, kein Schuhband du, hast keinen, Gürtel dein Rock, ist aufgeknöpft, du bist gar nicht, da du, bist ein auf, gegangenes Schuh, Band. Du kannst dich gegen keinen Satz wehren:

Kaspar wehrt sich mit seinem Satz:
Ich möcht.
Ich möcht werden wie einmal.
Ich möcht ein solcher wie einmal.
Ein andrer.
Ein solcher andrer.
Einer.

Er behauptet seinen Satz noch:
Ich möcht ein solcher werden
wie einmal ein andrer gewesen ist.

Das Schuhband tut dir weh. Es tut dir nicht weh, weil es ein Schuhband ist, sondern weil dir das Wort dafür fehlt, und der Unterschied zwischen dem festen und dem lockeren Schuhband tut dir weh, weil du nicht weißt, was der Unterschied zwischen dem festen und dem lockeren Schuhband ist. Der Rock

Er widersetzt sich weiter:
Gewesen ich.
Ein andrer ist werden.
Ein andrer solcher.
Wie ich werden.
Ist ich ist.

Solcher gewesen.
Ist ein.
Ich solcher.
Möcht ein andrer.
Ich möcht ein andrer.
Wie ein solcher andrer.
Einmal ein andrer.
Ein andrer gewesen.
Wie einmal.
Ich möcht ein solcher wie.

Die erste Abweichung:
Ich möcht ein solcher andrer
werden wie einmal ein andrer
solcher gewesen ist.

Er widersetzt sich hefliger, aber mit weniger Erfolg:
Ein.
Ist.
Solcher.
Gewesen.
Möcht.
Andrer.

tut dir weh, und die Haare tun dir weh. D u , obwohl du dir nicht w e h tust, tust dir weh. D u tust dir weh, weil du nicht weißt, was du ist. Der Tisch tut dir weh, und der Vorhang tut dir weh. Die Worte, die du hörst, und die Worte, die du sprichst, tun dir weh. Nichts tut dir weh, weil du nicht weißt, was weh tun ist, und alles tut dir weh, weil du von nichts weißt, was es bedeutet. Weil du von nichts den Namen weißt, tut dir alles weh, wenn du auch nicht weißt, daß es dir weh tut, weil du nicht weißt, was das Wort Wehtun bedeutet:

Du hörst Sätze: etwas Ähnliches wie deinen Satz: etwas Vergleichbares. Du vergleichst. Du kannst deinen Satz gegen andere Sätze ausspielen und schon etwas ausrichten: dich an das offene Schuhband gewöhnen. Du gewöhnst dich schon an andere Sätze, so daß du ohne sie nicht mehr auskommst. Du kannst dir deinen Satz für sich allein schon nicht mehr vorstellen: schon ist er nicht mehr dein Satz: schon suchst du andere Sätze. Etwas ist unmöglich geworden: etwas anderes ist möglich geworden:

Ein andrer solcher ich wie einmal möcht gewesen ist.

Wo sitzt du? Du sitzt still. Was sprichst du? Du sprichst langsam. Was atmest du? Du atmest gleichmäßig. Wo sprichst du? Du sprichst schnell. Was atmest du? Du atmest aus und ein. Wann sitzt du? Du sitzt stiller. Wo atmest du? Du atmest schneller. Wann sprichst du? Du sprichst lauter. Was sitzt du? Du atmest. Was atmest du? Du sprichst. Was sprichst du? Du sitzt. Wo sitzt du? Du sprichst aus und ein:

Er widersetzt sich noch heftiger, aber noch erfolgloser:
Gewöchten!
Olch!
Andrein!
Solchicht!
Isten!
Mörden!
Esch!

Osch nöcht alsten welicht lein.

Die Einsager reden sehr heftig auf Kaspar ein:

Kaspar spricht ein sehr langes i.

Ordnen. Stellen. Legen. Setzen.

Kaspar spricht ein nicht ganz so langes n. (Er spricht den Buchstaben n allein, ohne die Hilfswörter, die sonst zum Aufzählen des Alphabets dienen.)

Stellen. Ordnen. Legen. Setzen.
Legen. Stellen. Ordnen. Setzen.

Kaspar spricht ein kürzeres s.

Setzen. Legen. Stellen. Ordnen.

Kaspar spricht ein kurzes, formal mühsames r.

Ordnen. Stellen. Legen. Sitzen.

Kaspar spricht ein p, wobei er das p wie die anderen Buchstaben zu dehnen versucht, was ihm selbstverständlich mißlingt.

Stellen. Ordnen. Sitzen. Liegen.
Sitzen. Liegen. Ordnen. Stehen.

Kaspar spricht formal mühsam ein t.

Stehen. Sitzen. Liegen. Ordnen.

Kaspar spricht äußerst mühsam ein d.

Liegen. Stehen. Sitzen. Geordnet sein:

Kaspar versucht, wenigstens durch Bewegungen, etwa Fußaufstampfen, Scharren, Wegschieben und Zurückschieben eines Stuhls, schließlich vielleicht nur noch Kratzen an seinen Kleidern, noch ein Geräusch zu erzeugen.

Die Einsager sprechen dazu jetzt ruhig, ihrer Sache schon sicher:
Hören?
Bleiben?
Aufmachen?
Hören!
Bleiben!!
Aufmachen!!!

Kaspar bemüht sich nach Leibeskräften um einen einzigen Laut. Er versucht es mit Händen und Füßen. Er bringt keinen Laut hervor. Seine Bewegungsanstrengungen werden immer schwächer. Schließlich hören auch seine Bewegungen auf. Kaspar ist endlich zum Schweigen gebracht. Der Satz ist ihm ausgetrieben. Einige Augenblicke der Ruhe.

Die Einsager lassen ihn stumm sich bemühen.

18

Kaspar wird zum Sprechen gebracht. Er wird mit Sprechmaterial zum Sprechen allmählich angestachelt.

Der Tisch steht. Der Tisch ist umgefallen? Der Stuhl ist umgefallen! Der Stuhl steht! Der Stuhl ist umgefallen und steht? Der Stuhl ist umgefallen, aber der Tisch steht. Der Tisch steht oder ist umgefallen! Weder ist der Stuhl umgefallen noch steht der Tisch noch steht der Stuhl noch ist der Tisch umgefallen?! Du sitzst auf einem umgefallenen Stuhl:

Kaspar bleibt noch stumm.

Der Tisch ist dir ein Ekel. Aber der Stuhl ist ein Ekel, weil er kein Tisch ist. Aber der Besen ist ein Ekel, weil der Stuhl kein Tisch ist. Aber dein Schuhband ist ein Ekel, weil der Besen kein Stuhl ist. Aber der Besen ist kein Ekel, weil er ein Tisch ist. Aber der Stuhl ist kein Ekel, weil er sowohl der Tisch als auch das Schuhband ist. Aber das Schuhband ist kein Ekel, weil er sowohl kein Stuhl als auch kein Tisch als auch kein Besen ist. Aber der Tisch ist ein Ekel, weil er ein Tisch ist. Aber Tisch, Stuhl, Besen und Schuhband sind ein Ekel, weil sie Tisch, Stuhl, Besen und Schuhband heißen. Sie sind dir ein Ekel, weil du n i c h t weißt, wie sie heißen:

Kaspar beginnt zu sprechen:
Heruntergekommen.

Sie füttern ihn weiter mit enervierenden Wörtern: Denn ein Schrank, auf dem du sitzst, ist ein Stuhl, oder? Oder ein Stuhl, auf dem du sitzst, ist ein Schrank, wenn er auf dem Platz des Schranks steht, oder? Oder ein Tisch, der auf dem Platz des Schranks steht

Er fängt ein wenig zu sprechen an:
Weil.
Oft.
Mich.
Nie.
Wenigstens.
Hinein.

Los.
Mir.
Nichts.
Obwohl.
Wie.

Weil mich schon wenigstens hier.

Er kommt einem ordentlichen Satz immer näher:
In die Hände.
Weiter und breit.
Oder dort.
Hinausgefallen.
Augen geschlagen.
Niemand ist.
Geht weder nachhause.
Dem Loch.
Ziegenaugen.
Wasserfang.
Wie finster.
Totgerufen.

Wenn ich mich schon hier wenigstens weitersagen.

Aale. Laufen.
Gesotten. Von hinten.
Rechts. Später. Pferd.
Nie gestanden. Schreist.

ist ein Stuhl, wenn du darauf sitzst, oder? Oder ein Stuhl, auf dem du sitzst, ist ein Schrank, sobald er mit einem Schlüssel zu öffnen ist und Kleider darin hängen, auch wenn er auf dem Platz des Tisches steht und du mit ihm den Boden reinfegen kannst; oder?

Ein Tisch ist ein Wort, das du auf den Schrank anwenden kannst, und du hast einen wirklichen Schrank und einen möglichen Tisch an der Stelle des Tisches, und? Und ein Stuhl ist ein Wort, das du auf den Besen anwendest, so daß du einen wirklichen Besen und einen möglichen Stuhl an der Stelle des Stuhls hast, und? Und ein Besen ist ein Wort, das du auf dein Schuhband anwenden kannst, und du hast ein wirkliches Schuhband und einen unmöglichen Besen an der Stelle des Schuhbands, und? Und ein Schuhband ist ein Wort, das du auf den Tisch anwendest, so daß du plötzlich weder einen Tisch noch ein Schuhband an der Stelle des Tisches hast, und?

Der Stuhl tut dir noch weh, aber das Wort Stuhl freut dich schon. Der Tisch tut dir noch weh, aber das Wort Tisch freut dich schon.

Schneller. Eiter. Haue.
Wimmerst. Das Knie.
Zurück. Kriechst.
Hütte. Sofort.
Kerze. Rauhreif. Spannen.
Erwartest. Sträubst.
Ratten. Einzig. Schlimmer.
Gingst. Lebend. Weiter.
Sprangst. Ja. Sollst.

Hereingekommen bin Stuhl ohne Fetzen aufs Schuhband, das inzwischen leblos geredet in die Füße schlugst, ohne Besen auf den Tisch, der in einiger Entfernung umgeworfen vom Schrank standst, kaum zwei rettende Tropfen am Vorhang.

Der Schrank tut noch ein wenig weh, aber das Wort Schrank freut dich schon mehr. Das Wort Schuhband tut schon weniger weh, weil dich das Wort Schuhband immer mehr freut. Der Besen tut dir umso weniger weh, je mehr dich das Wort Besen freut. Die Worte tun dir nicht mehr weh, wenn dich das Wort Worte freut. Die Sätze freuen dich umso mehr, je mehr dich das Wort Sätze freut:

Worte und Dinge. Stuhl und Schuhband. Worte ohne Dinge. Stuhl ohne Besen. Dinge ohne Worte. Tisch ohne Dinge. Schrank ohne Schuhband. Worte ohne Tisch. Weder Worte noch Dinge. Weder Dinge noch Schuhband. Weder Schuhband noch Worte. Weder Worte noch Tisch. Tisch und Worte. Worte und Stuhl ohne Dinge. Stuhl ohne Schuhband ohne Worte und Schrank. Worte und Dinge. Dinge ohne Worte. Worte ohne Dinge. Weder Worte noch Dinge. Worte und Sätze. Sätze: Sätze: Sätze:

Kaspar spricht einen ordentlichen Satz:
Damals, als ich noch weg war, habe ich niemals so viele Schmerzen im Kopf gehabt, und man hat mich nicht so gequält wie jetzt, seit ich hier bin.
Es wird schwarz.

19

Es wird hell. Er fängt langsam zu sprechen an:
Nachdem ich, wie ich jetzt erst sehe, hereingekommen war, habe ich, wie ich jetzt erst sehe, das Sofa in Unordnung gebracht, darauf die, wie ich jetzt erst sehe, Schranktür, an der ich, wie ich jetzt erst sehe, mich, wie ich jetzt erst sehe, mit dem Fuß zu schaffen machte, offengelassen, darauf die Lade aus dem Tisch, wie ich jetzt erst sehe, gerissen, darauf einen, – wie ich jetzt erst sehe, anderen – Tisch umgeworfen, darauf einen Schaukelstuhl, wie ich jetzt erst sehe, auch umgeworfen, sowie einen weiteren Stuhl und einen Besen umgeworfen, wie ich jetzt erst sehe, worauf ich auf den einzigen Stuhl, der noch stand, zu (wie ich jetzt erst sehe) ging und mich setzte. Ich sah weder etwas noch hörte ich etwas, und es ging mir gut. *Er steht auf.*

Jetzt bin ich aufgestanden und habe gleich bemerkt, nicht erst jetzt, daß mein Schuhband aufgegangen war. Weil ich jetzt sprechen kann, kann ich das Schuhband in Ordnung bringen. Seit ich sprechen kann, kann ich mich ordnungsgemäß nach dem Schuhband bükken. Seit ich sprechen kann, kann ich alles in Ordnung bringen.

Er bückt sich nach dem Schuhband. Er stellt ein Bein vor, um sich besser nach dem Schuhband bücken zu können. Weil er aber mit dem andern Fuß auf dem Schuhband gestanden hat, strauchelt er durch das Vorstellen des Beins und fällt, nachdem er vergeblich versucht hat, sich zu halten — einen Augenblick scheint es ihm zu gelingen — zu Boden. Er wirft dabei auch den Stuhl um, auf dem er gesessen hat. Nach einem Augenblick der Stille:

Seit ich sprechen kann, kann ich ordnungsgemäß aufstehen; aber das Fallen tut erst weh, seit ich sprechen kann; aber das Wehtun beim Fallen ist halb so schlimm, seit ich weiß, daß ich über das Wehtun sprechen kann; aber das Fallen ist doppelt so schlimm, seit ich weiß, daß man über mein Fallen sprechen kann; aber das Fallen tut überhaupt nicht mehr weh, seit ich weiß, daß ich das Wehtun vergessen kann; aber das Wehtun hört überhaupt nicht mehr auf, seit ich weiß, daß ich mich des Fallens schämen kann.

20

Kaspar setzt ein. Er spricht langsam:

Das merken und nicht vergessen!
Das merken und nicht vergessen!
Das merken und nicht vergessen!
Das merken und nicht vergessen!
Das merken und nicht vergessen!
Das merken und nicht vergessen!

Seit du einen ordentlichen Satz sprechen kannst, beginnst du alles, was du wahrnimmst, mit diesem ordentlichen Satz zu vergleichen, so daß der Satz ein Beispiel wird. Jeder Gegenstand, den du wahrnimmst, ist umso einfacher, je einfacher der Satz ist, mit dem du ihn beschreiben kannst: jener Gegenstand ist ein ordentlicher Gegenstand, bei dem sich nach einem kurzen, einfachen Satz keine Fragen mehr ergeben: ein ordentlicher Gegenstand ist der, bei dem mit einem kurzen, einfachen Satz alles geklärt ist: für einen ordentlichen Gegenstand brauchst du nur einen Satz mit drei Worten: jener Gegenstand ist in Ordnung, von dem du nicht erst eine Geschichte erzählen mußt. Für einen ordentlichen Gegenstand brauchst du nicht einmal einen Satz: für einen ordentlichen Gegenstand genügt das Wort für den Gegenstand. Erst mit einem unordentlichen Gegenstand fangen die Geschichten an. Du selber bist in Ordnung, wenn du von dir selber keine Ge-

Das merken und nicht
vergessen!
Das merken und nicht
vergessen!
Das merken und nicht
vergessen!
Das merken und nicht
vergessen!
Das merken und nicht
vergessen!
Das merken und nicht
vergessen!

schichte mehr zu erzählen brauchst
du bist in Ordnung, wenn sich
deine Geschichte von keiner andern
Geschichte mehr unterscheidet
wenn kein Satz über dich mehr
einen Gegensatz hervorruft. Du
darfst dich hinter keinem Satz
mehr verstecken können.
Der Satz über dein Schuhband und
der Satz über dich müssen einander gleichen bis auf ein Wort: sie
müssen einander schließlich gleichen bis aufs Wort.

21

Ein Scheinwerfer folgt Kaspars Hand, die sich dem losen Schuhband nähert. Er folgt Kaspars andrer Hand, die sich ebenfalls dem Schuhband nähert. Kaspar kreuzt ausführlich das Schuhband übereinander. Er hält die Enden gekreuzt hoch. Er schlingt das eine Ende deutlich um das andere Ende. Er hält beide Schuhbandenden gekreuzt hoch. Er zieht deutlich und langsam die Bänder zusammen. Er legt deutlich mit einem Band eine Schlinge. Er legt das andere Band um die Schlinge. Er zieht es unten durch. Er zieht die Schlaufe fest zusammen. Die erste Ordnung ist hergestellt. Der Scheinwerfer erlischt.

Der Tisch steht. Beim Wort Tisch
denkst du schon an einen Tisch
der steht: schon ist kein Satz mehr
nötig.
Das Tuch liegt. Wenn das Tuch
liegt, ist etwas nicht in Ordnung
Warum l i e g t das Tuch? Schon
fordert das Tuch andere Sätze
Schon hat das Tuch eine Geschichte
hat das Tuch keine Schlaufe, oder
hat jemand das Tuch zu Boden geworfen? Ist die Schlaufe abgerissen? Ist die Schlaufe abgerissen
worden? Ist jemand mit dem Tuch
erdrosselt worden?
Der Vorhang fällt gerade: beim
Wort Vorhang denkst du schon an
einen Vorhang, der gerade fällt
Schon ist kein Satz mehr nötig. Er

strebenswert ist ein gerade fallender Vorhang.

22

Der Scheinwerfer folgt Kaspars Hand, die sich, indem sie die Jacke hinaufschiebt, dem Gürtel der Hose nähert, der vielleicht sehr breit ist. Der Scheinwerfer folgt Kaspars andrer Hand, die sich gleichfalls dem Gürtel nähert. Die eine Hand zieht das Ende des Gürtels aus sehr vielen Schlaufen. Die andre Hand hält den Stachel des Gürtels, während die eine Hand den Gürtel vom Stachel wegzieht. Diese eine Hand zieht den Gürtel an, während die andre den Stachel durch die nächste Gürtelöffnung drückt. Das jetzt durch das Engerschnallen des Gürtels noch längere Gürtelende wird von beiden Händen sorgfältig wieder durch die vielen Schlaufen gesteckt, bis der Sitz der Hose sichtbar in Ordnung ist. Der Scheinwerfer erlischt.

Ein Satz, dem noch eine Frage folgen muß, ist ungemütlich: bei einem solchen Satz kannst du dich nicht zuhause fühlen. Es kommt darauf an, daß du Sätze bildest, bei denen du dich zumindest w i e zuhause fühlen kannst. Ein Satz, dem noch ein Satz folgen muß, ist unschön und ungemütlich. Du brauchst häusliche Sätze: Sätze als Einrichtungsgegenstände: Sätze, die du dir eigentlich sparen könntest: Sätze, die Luxus sind. Alle Gegenstände, bei denen es noch etwas zu fragen gibt, sind unordentlich, unschön und ungemütlich. Jeder z w e i t e Satz ist *(die Wörter teilen sich auf die Schlaufen auf, durch die Kaspar gerade den Gürtel zieht)* unordentlich, unschön, ungemütlich, störend, rücksichtslos, verantwortungslos, geschmacklos.

23

Der Scheinwerfer folgt Kaspars Hand, die von oben nach unten die Jacke zuknöpft, wobei schließlich unten ein Knopf übrigbleibt. Der

Jeder Gegenstand muß ein Bild von einem Gegenstand sein: jeder rechte Tisch ist ein Bild von einem Tisch. Jedes Haus muß ein Bild von

Scheinwerfer zeigt wie Kaspars Hand auf den übriggebliebenen Knopf. Dann folgt er der Hand, die, schneller als sie die Jacke zugeknöpft hat, sie von unten nach oben wieder aufknöpft. Er bleibt oben mit Kaspars Hand auf dem ersten Knopf. Dann folgt er Kaspars beiden Händen, die noch schneller die Jacke wieder zuknöpfen. Diesmal gelingt es. Der Scheinwerfer zeigt mit Kaspars Händen auf den untersten Knopf. Dann geben die Hände den Knopf frei. Der Scheinwerfer zeigt, daß alles in Ordnung ist. Dann erlischt er.

einem Haus sein. Jeder rechte Tisc
ist *(die Wörter teilen sich auf da*
Zuknöpfen auf) ordentlich, schör
gemütlich, friedlich, unauffällig
zweckdienlich, geschmackvoll. Jede
Haus, das *(die Wörter teilen sic*
auf das Aufknöpfen) liegt, ein
stürzt, wankt, stinkt, brennt, leer
steht, spukt, ist kein wahres Hau
Jeder Satz, der *(die Wörter verte*
len sich wieder auf das Zuknöpfen
nicht stört, nicht droht, nicht ziel
nicht fragt, nicht würgt, nichts wil
nichts behauptet, ist ein
Bild von einem Satz.

24

Kaspar steht ganz im Scheinwerfer. Es ist offensichtlich, daß die Jacke nicht zu der Hose paßt, weder in der Farbe noch in der Schnittform. Kaspar ist still.

Ein Tisch ist ein wahrer Tisch
wenn das Bild vom Tisch mit den
Tisch übereinstimmt: er ist noc
kein wahrer Tisch, wenn zwar da
Bild vom Tisch allein mit dem Tisc
übereinstimmt, aber das Bild vo
Tisch u n d Stuhl zusammen nich
mit Tisch und Stuhl übereinstimm
Der Tisch ist noch kein wahre
eigentlicher, echter, richtiger, rech
ter, ordentlicher, angebrachter, schö
ner, noch schönerer, bildschöne
Tisch, wenn du selber nicht zu den
Tisch paßt. Wenn der Tisch scho
ein Bild von einem Tisch ist, kanns
du i h n nicht ändern: wenn du de

Tisch nicht ändern kannst, mußt du dich selber ändern: du mußt ein Bild von dir werden, wie du den Tisch zu einem Bild von einem Tisch machen mußt und jeden möglichen Satz zu einem Bild von einem möglichen Satz.

25

Kaspar bringt die Bühne in Ordnung. Er bewegt sich, wobei ihm der Scheinwerfer genau folgt und den Ablauf seiner Handlungen deutlich festhält, von einem Gegenstand zum andern und macht an ihm gut, was er angerichtet hat. Darüber hinaus bringt er jeden Gegenstand in die gewohnte Beziehung zum andern, so daß die Bühne allmählich wohnlich aussieht. Kaspar schafft sich seine eigenen (drei) Wände. Jeder seiner Schritte und jede seiner Bewegungen sind etwas Neues, auf das aufmerksam gemacht wird. Er begleitet dazu seine Handlungen ab und zu mit Sätzen. Jeder Unterbrechung der Handlung folgt eine Unterbrechung des Satzes. Jede Wiederholung der Handlung bewirkt eine Wiederholung des Satzes. Seine Handlungen wiederum gehorchen gegen Schluß immer mehr den Sätzen der Sprecher, Seine Handlungen werden begleitet von Sätzen der Einsager. Diese Sätze passen sich zuerst in ihrer Bewegung den Bewegungen Kaspars an, bis sich Kaspars Bewegungen allmählich ihrer Bewegung anpassen. Die Sätze verdeutlichen die Vorgänge auf der Bühne, ohne sie freilich zu beschreiben. Es stehen folgende Sätze zur Auswahl:

Von Geburt an ist allen eine Fülle von Fähigkeiten gegeben.

Jeder ist für seinen Fortschritt verantwortlich.

Jeder Gegenstand, der schadet, wird unschädlich gemacht.

Jeder stellt sich in den Dienst der Sache. Jeder sagt ja zu sich selber.

Die Arbeit entwickelt bei jedem das Pflichtbewußtsein.

während sich am Anfang die Sätze der Sprecher seinen Handlungen angepaßt haben. Er stellt zuerst den Stuhl auf, auf dem er gesessen hat. Er sagt dazu etwa den Satz: Ich stelle den Stuhl auf, und der Stuhl steht. *Er geht zum zweiten Stuhl und stellt den zweiten Stuhl auf, diesmal mit einer Hand. Der Scheinwerfer zeigt die Hand, die eine senkrechte Lehnenleiste festhält:* Ich stelle den zweiten Stuhl auf: ich kann zählen. Der erste Stuhl hat zwei Leisten, der zweite Stuhl hat drei Leisten: ich kann vergleichen. *Er hockt sich hinter den Stuhl und umgreift mit beiden Händen die Leisten. Er rüttelt daran:* Alles, was mit Leisten vergittert ist, ist ein Stuhl. *Eine Leiste bricht in der Mitte auseinander. Er fügt sie schnell wieder zusammen:* Alles, was zerbricht ist nur eine Stuhlleiste. Alles, was sich vertuschen läßt, ist nur eine Stuhlleiste. *Er geht zum großen Tisch. Als er diesmal hinkniet, zieht er sich schon die Hose über die Knie:* Ich ziehe mir die Hose über die Knie, damit sie nicht schmutzig wird. *Er sammelt schnell die verstreuten Sachen ein, mit zwei oder drei Handgriffen. Er greift mit der ganzen Hand:* Alles, was schneidet, ist nur ein Tafelmesser. Alles, was mit dem Gesicht nach oben liegt, ist

Jede Neuordnung erzeugt Unordnung.

Jeder fühlt sich verantwortlich für das kleinste Stäubchen auf dem Boden.

Jeder, der nichts besitzt, ersetzt den Besitz durch Arbeit.

Jedes Leiden ist natürlich.

Jedem arbeitenden Menschen muß so viel Ruhezeit gewährt werden, als er nötig hat, die bei der Arbeit ausgegebenen Kräfte zu ersetzen.

Jeder muß seine eigene Welt aufbauen.

Ordnungswut braucht zu keinem Umsturz zu führen.

Jeder Schritt erweitert den Gesichtskreis.

Der Tisch ist ein Versammlungsort

Der Raum sagt über den Bewohner aus.

Die Wohnung ist die Voraussetzung für ein geordnetes Leben.

Blumen sollen so stehen, als kämen sie aus einer gemeinsamen Mitte.

nur eine Spielkarte. *Er versucht, ein Streichholz mit der ganzen Hand aufzuheben. Es gelingt ihm nicht. Er versucht es zum ersten Mal mit zwei Fingern. Es gelingt ihm:* Alles, was ich nicht mit der ganzen Hand aufheben kann, ist ein Streichholz. *Er schiebt die Lade schnell in den Tisch. Er hat das eine Streichholz noch immer in der Hand. Er bemerkt, daß noch ein Streichholz auf dem Boden liegt. Er hebt dieses Streichholz auf, wobei ihm das andre aus der Hand fällt. Er hebt das andre auf, wobei ihm dieses aus der Hand fällt (die Bewegungen sind sehr genau, der Scheinwerfer folgt). Er nimmt zum ersten Mal die zweite Hand zu Hilfe und hebt das Streichholz auf. Er hält die Streichhölzer in beiden Fäusten. Er hat jetzt keine Hand, mit der er die Lade öffnen könnte. Er steht still vor der Lade. Er gibt schließlich der einen Hand mit der andern das Streichholz:* Ich kann eine Hand frei halten. Alles, was sich frei bewegen kann, ist eine Hand. *Er öffnet die Lade weit mit der freien Hand. Er legt die Streichhölzer in die Lade. Er schiebt dabei mit der andern Hand die Lade zu. Er klemmt die eine Hand ein. Er zieht an ihr, während er mit der andern Hand weiter die Lade hineinschiebt, seine Anstrengungen*

Nicht stehen, wenn du sitzen kannst.

Bücken kostet am meisten Kraft.

Lasten sind umso leichter, je näher sie dem Körper sind.

In obere Fächer nur Dinge legen, die nicht oft gebraucht werden.

Weg sparen heißt Kraft sparen.

Gewichte auf beide Arme verteilen.

Der Tisch läuft dir nicht weg.

Die Arbeit immer neu sehen.

Nur wer gesund ist, kann viel leisten.

Unordnung bewirkt die Empörung aller anständig denkenden Menschen.

Die günstigste Arbeitshöhe ermitteln.

Zu den schönsten Erscheinungen im Leben gehört ein gedeckter Tisch.

Die Einrichtung soll dich ergänzen.

Die Zeit richtig einteilen.

werden beiderseits größer. Schließlich kann er die Hand mit einem Schwung befreien, während gleichzeitig die andre Hand mit einem Schwung die Lade hineinstößt. Er reibt sich nicht die Hand, sondern bewegt sich sofort weiter. Fast gleichzeitig mit dem Knall hat er den Schaukelstuhl aufgestellt, der unweit vom Tisch auf dem Rücken lag, im nächsten Augenblick auch den umgefallenen Besen wieder angelehnt. Er kniet schon, ehe sich die Zuschauer versehen, vom Scheinwerfer schnell verfolgt, vor dem kleinen dreibeinigen Tisch und schraubt ihm das Bein ein. Dabei sagt er sehr schnell: Alles, was knallt, ist nur eine Tischlade: alles, was brennt, ist nur eine aufgesprungene Lippe: alles, was Widerstand leistet, ist nur ein umgefallener Besen: alles, was sich in den Weg stellt, ist nur hoher Schnee: alles, was schaukelt, ist nur ein Schaukelpferd: alles, was baumelt, ist nur ein Lederball: alles, was sich nicht bewegen kann, ist nur eine Schranktür. *Er ist inzwischen auch zur Schranktür marschiert und hat sie zugeworfen. Sie bleibt aber nicht zu. Er wirft sie wieder zu. Sie geht sehr langsam wieder auf. Er drückt sie zu. Als er sie losläßt, geht sie wieder auf:* Alles, was nicht schließt, ist nur eine Schranktür.

Keinem wird etwas geschenkt.

Die Fingernägel sind ein besonderer Gradmesser für Ordnung und Sauberkeit.

Mit einem freundlichen Lächeln andeuten, daß du die Arbeit gerne tust.

Was schon immer so gewesen ist, wie du es antriffst, kannst du nicht auf einmal ändern.

Jeder muß alles können.

Jeder soll in seiner Arbeit aufgehen.

Alles, was dir scheinbar schadet, ist nur in deinem Interesse.

Du sollst dich verantwortlich fühlen für die Einrichtung.

Den Boden kehren in der Bretterrichtung.

Beim Anstoßen sollen die Gläser hell klingen.

Jeder Schritt muß dir zu einer Selbstverständlichkeit werden.

Du mußt selbständig
handeln
können.

Alles, was mich erschreckt, ist nur eine Schranktür. Alles, was mir ins Gesicht schlägt, ist nur eine Schranktür. Alles, was mich in die Hand beißt, ist nur eine Schranktür. (*Die Sätze gehören jeweils zu den Versuchen, die Schranktür zuzuschlagen oder zuzudrücken.) Schließlich läßt er den Schrank offen. Er geht zum Sofa, ordnet es ausführlich, schiebt es dabei aber auch schon ganz auf die Bühne. Der Scheinwerfer geht ihm voraus und bezeichnet den Platz, auf dem das Sofa stehen soll. Er schiebt das Sofa dorthin. Zwei andere Scheinwerfer gehen ihm voraus und bezeichnen den Platz, wo die zwei Stühle stehen sollen. (Die Scheinwerfer bezeichnen vielleicht mit zwei Kegeln die Plätze der Stühle.) Er stellt die Stühle dorthin. (Die Scheinwerfer haben verschiedene Farben.) Ein andrer Scheinwerfer bezeichnet den Platz für den Schaukelstuhl. Er folgt ihm und stellt den Schaukelstuhl auf den geeigneten Platz. Ein anderer Scheinwerfer bezeichnet schon den geeigneten Platz für den kleinen Tisch. Er stellt ihn dorthin. Ein anderer Scheinwerfer bezeichnet scheinbar den geeigneten Platz für Besen und Schaufel. Er will beides dorthin stellen. Der Scheinwerfer geht weiter. Er folgt dem Scheinwerfer. Der Scheinwerfer*

In einem aufgeräumten Raum
wird auch die Seele aufgeräumt.

Jeden Gegenstand, den du zum zweiten Mal siehst, kannst du schon als d e i n e n Gegenstand bezeichnen.

Die Verhältnismäßigkeit
der Mittel
ist dein Grundsatz.

Fließendes Wasser
fault
nicht.

Ein Raum
soll sein
wie ein Bilderbuch.

Eine sitzende Lebeweise
ist ungesund.

Ein Raum
soll ein zeitloses
Gepräge haben.

Du mußt mit deiner Arbeit
Zuversicht
zeigen.

geht hinter die Bühne. Er folgt dem Scheinwerfer mit Besen und Schaufel hinter die Bühne. Der Scheinwerfer kommt ohne ihn zurück und bezeichnet schon einen Platz auf der Bühne. Kaspar erscheint wieder. Er hält eine große Vase mit Blumen im Arm. Er stellt die Vase auf den bezeichneten Platz. Ein anderer Scheinwerfer bezeichnet einen leeren Platz auf dem kleinen Tisch. Er geht von der Bühne und kehrt mit einer Schüssel voll Zierfrüchten zurück. Er stellt sie auf den kleinen Tisch. Ein anderer Scheinwerfer bezeichnet in einer Bühnenecke noch einen leeren Platz. Er geht von der Bühne und kehrt mit einem kleinen Schemel zurück. Er stellt ihn auf den bezeichneten Platz. Ein anderer Scheinwerfer bezeichnet einen leeren Platz auf dem hinteren Vorhang. Kaspar gibt ein Zeichen in den Schnürboden, und ein Gemälde wird auf die leere Stelle heruntergelassen. (Es stellt etwas Beliebiges dar, es muß nur zur Einrichtung passen.) Kaspar dirigiert es an die richtige Stelle. Er steht da. Ein andrer Scheinwerfer geht ihm voraus zum offenen Schrank. Er beleuchtet die Kleidungsstücke. Kaspar geht zum Schrank. Er zieht schnell die Jacke aus. Er findet keinen Platz zum Ablegen. Der Scheinwerfer geht hinter die Bühne. Er folgt ihm mit der

In Türangeln gibt es
keine
Holzwürmer.

Du mußt stolz
auf das Erreichte sein können.

Dein Wohlbefinden
wird von deiner Leistung bestimmt

Der Fußboden trägt entscheiden
zum Gesamteindruck eines Raume
bei.

Es kommt darauf an,
d a b e i zu sein.

Türen schließen ab, stellen aber auc
Verbindungen zur Außenwelt her

Die Gegenstände müssen
das Bild von dir
ergänzen.

Jede Arbeit ist das,
was du aus ihr
machst.

Die Ordnung soll
keine seelenlose Ordnung
sein.

Was du hast,
das bist du.

Jacke über dem Arm und kehrt mit einem Kleiderständer zurück. Er stellt ihn auf den bezeichneten Platz. Er hängt die Jacke auf. Er geht zum Schrank und sucht eine andre Jacke heraus. Er zieht sie an. Er knöpft sie zu. Er steht da. Er nimmt den Hut ab. Er hängt den Hut an den Kleiderständer. Die Bühne wird zunehmend farbig. Er hat sich zuletzt nach den Sätzen der Einsager bewegt. Ein anhaltender Ton hat leise eingesetzt. Er wird jetzt stärker. Die Jacke paßt ganz offensichtlich zu der Hose und zu den anderen Gegenständen. Alles auf der Bühne paßt zu allem. Einen Augenblick bietet er das Bild einer Puppe inmitten einer Wohnkulturausstellung. Nur der offene Schrank stört noch das Bild. Der anhaltende Ton wird stärker. Kaspar steht da und läßt sich anschauen. Die Bühne ist in Feiertagsbeleuchtung.

Das Hausen in finsteren Räumen
bringt nur unnötige Gedanken
mit sich.

Die Ordnung
der Gegenstände
schafft
alle
Voraussetzungen
für
das
Glück.

Was im Dunkeln ein Alptraum ist,
ist im Licht
frohe
Gewißheit.

Jede Ordnung verliert einmal
ihren
Schrecken.

Du bist nicht zum Vergnügen
auf der Welt.

26

Das Licht auf der Bühne geht sehr langsam aus, wobei sich der Ton dem Licht anpaßt. Während das Licht ausgeht, spricht Kaspar. Er fängt sehr tief, wohltönend, an, steigert aber die Stimme mit dem allmählichen Erlöschen des Lichts und dem Leiserwerden des Tons, so daß sie, je dunkler es auf der Bühne wird und je leiser der Ton wird, umso schriller und mißtönender wird. Schließlich, mit dem Einsetzen völliger Dunkelheit und dem Aussetzen des Tons, wimmert er in höchsten Tönen: alles, was hell ist, ist friedlich: alles, was still ist, ist friedlich: alles, was auf seinem Platz ist, ist friedlich: alles, was friedlich ist, ist freundlich: alles, was freundlich ist, ist wohnlich: alles, was wohnlich ist, ist gemütlich: alles, was gemütlich ist, ist nicht mehr unheimlich: alles, was ich beim Namen nennen kann, ist nicht mehr unheimlich: alles, was nicht mehr unheimlich ist, gehört mir: alles, was mir gehört, ist mir vertraut: alles, was mir vertraut ist, stärkt mein Selbstvertrauen: alles, was mir vertraut ist, läßt mich aufatmen: alles, was mir vertraut ist, ist ordentlich: alles, was ordentlich ist, ist schön: alles, was schön ist, tut meinen Augen gut: alles, was meinen Augen gut tut, tut mir gut: alles, was mir gut tut, begütigt mich: alles, was mir gut tut, macht mich gut: alles, was mich gut macht, macht mich gut zu e t w a s. *Es ist jetzt völlig schwarz. Während es sehr langsam wieder hell wird, fängt Kaspar wieder zu sprechen an, zuerst etwa sehr wohltönend,*

Während Kaspar spricht, sprechen die Einsager, ohne ihn unverständlich zu machen – dabei sind freilich sie selber durch leises Sprechen, Durcheinandersprechen, Weglassen von Silben, von-hinten-nach-vorn-Sprechen, falsches Betonen usw. möglichst wenig verständlich –, in gleichmäßiger Folge ungefähr diesen Text:

Auf den Tisch geschlagen. Zwischen die Stühle gesetzt. Die Ärmel aufgekrempelt. Auf dem Boden geblieben. Hinter die Kulissen geschaut. In die Hände gespuckt. Auf den Tisch geschlagen. Au dem Boden geblieben. Die Ärme aufgekrempelt. Zwischen die Stühl gesetzt. In die Hände gespuckt. Au den Tisch geschlagen. An den gemeinsamen Tisch gesetzt. Auf den Tisch geschlagen. In die Nesseln gesetzt. Die Tür zugeschlagen. Di Ärmel aufgekrempelt. Auf di Stühle geschlagen. Windelweich geprügelt. Auf den Tisch geschlagen. Hart geblieben. In die Nesseln ge *dann, je heller es wird, umso schriller und höher:* alles, was in Ordnung ist, ist in Ordnung, weil ich mir sage, daß es in Ordnung ist, so wie alles, was auf dem Boden liegt, eine tote Fliege ist, weil ich mir sage, daß alles, was auf dem Boden liegt, nur eine tote Fliege ist, so wie alles, was auf dem Boden liegt, nur vorübergehend daliegt, weil ich mir sage, daß es nur vorübergehend daliegt, so wie alles, was liegt, aufsteht, weil ich mir sage, daß es aufsteht, so wie alles, was ich sage, in Ordnung ist, weil ich mir sage, daß alles, was ich mir sage, in Ordnung ist.

setzt. Zu Boden geschlagen. Den Antrag niedergeschlagen. Die Fäuste gezeigt. Windelweich geprügelt. Auf den Magen geschlagen. Mit Stumpf und Stiel ausgerottet. Den Boden zerschlagen. Vor die Füße gespuckt. Zwischen die Brauen geschlagen. Porzellan zerschlagen. In die Nesseln geschlagen. Den Tisch zerschlagen. In den Magen geschlagen. Den gemeinsamen Tisch zerschlagen. Zu Boden geschlagen. Die Kulissen zerschlagen. Die Tür zerschlagen. Den Zwischenrufer niedergeschlagen.
Hart geblieben. Vorurteile zerschlagen.

27

Jetzt werden Kaspar die Satzmodelle beigebracht, mit denen sich ein ordentlicher Mensch durchs Leben schlägt. Er hat sich schon während seiner letzten Sätze in den Schaukelstuhl begeben. Während des folgenden Sprechvorgangs sitzt er darin, fängt aber erst allmählich zu schaukeln an. Zuerst leiert er, gleichwohl intensiv sprechend, ohne Satzzeichen, dann spricht er schon Punkte, schließlich die Beistriche, schließlich übertrieben einen Sinn, schließlich spricht er die M o d e l l e der Sätze.

Während Kaspar im Schaukelstuhl sitzt, werden zunächst etwa die Worte der Einsager oben, die auf die Metaphorik vorbereiten, wiederholt: sie sind jetzt, weil Kaspar still ist, verständlicher und werden gegen Schluß klar verständlich, gehen dann in die folgenden Modellsätze über, die schon vor dem Ende der Passage eingesetzt haben:
Jeder Satz hilft dir weiter: du kommst, mit einem Satz, über jeden Gegenstand hinweg: ein Satz hilft dir, über den Gegenstand hinwegzukommen, wenn du nicht w i r k-

lich über ihn hinwegkomme
kannst, so daß du wirklich übe
ihn hinwegkommst: ein Satz hil
dir, über jeden anderen Satz hin
wegzukommen, indem er sich an di
Stelle des anderen Satzes setze
läßt: die Tür hat zwei Seiten: di
Wahrheit hat zwei Seiten: hätte di
Tür drei Seiten, hätte die Wahrhei
drei Seiten: die Tür hat viele Sei
ten: die Wahrheit hat viele Seiten
die Tür: die Wahrheit: ohne Tü
keine Wahrheit. Du schlägst dir de
Staub von der Hose: du schlägs
dir den Gedanken aus dem Kopf
könntest du dir den Staub nich
von der Hose schlagen, könntest d
dir den Gedanken nicht aus der
Kopf schlagen. Du sprichst zuend
du denkst zuende: könntest d
nicht zuende sprechen, könntest d
nicht den Satz sagen: ich denke zu
ende. Du siehst nach: du denk
nach: könntest du nicht nachsehen
könntest du nicht den Satz sagen
ich denke nach: könntest du nich
nachsehen, könntest du nicht nach
denken:

Die Pupille ist rund die Angst ist rund wäre die Pupille vergangen wäre die Angst vergangen aber die Pupille ist da und die Angst ist da wäre die Pupille nicht rechtschaffen könnte ich nicht sagen die Angst ist rechtschaffen wäre die Pupille nicht erlaubt wäre die Angst nicht erlaubt keine Angst ohne Pupille wäre die Pupille nicht gemäßigt könnte ich nicht sagen die Angst entsteht nicht bei Zimmertemperatur die Angst ist weniger rechtschaffen als erlaubt die Angst trieft und ist handwarm im Gegenteil

Du stehst. Der Tisch steht. Der Tisch steht nicht, er ist gestellt worden. Du liegst. Der Tote liegt. Der Tote liegt nicht, er ist gelegt worden. Würdest du nicht stehen können und würdest du nicht liegen können, könntest du nicht sagen: der Tisch steht, und der Tote liegt: könntest du nicht liegen und stehen, könntest du nicht sagen: ich kann w e d e r liegen n o c h stehen:

Ein fetter Mann ist lebensecht der Angstschweiß ist alltäglich wäre ein fetter Mann nicht lebensecht und wäre sein Angstschweiß nicht alltäglich so könnte ein fetter Mann sich nicht ängstigen und könnte ein fetter Mann nicht auf dem Bauch liegen so könnte ich nicht sagen er steht weder auf noch kann er singen

Der Raum ist klein, a b e r mein. Der Schemel ist niedrig, a b e r bequem. Das Urteil ist hart, a b e r gerecht. Der Reiche ist reich, a b e r leutselig. Der Arme ist arm, a b e r glücklich. Der Alte ist alt, a b e r rüstig. Der Berühmte ist berühmt, a b e r bescheiden. Der Irre ist irr, a b e r harmlos. Der Verbrecher ist

Der Schnee trifft aber genügsam. Die Fliege läuft über das Wasser aber maßvoll. Der Soldat kriecht durch den Schlamm aber zufrieden. Die Peitsche knallt auf den Rücken aber ihrer Grenzen bewußt. Der Pferdenarr rennt in die Falle aber mit der Welt versöhnt. Der Verurteilte macht einen Luftsprung aber einsichtig. Das Fabriktor knarrt aber das geht vorbei.

Die Sonnenblumen sind nicht nur

Abschaum, aber trotz aller ein Mensch. Der Krüppel ist be dauernswert, aber auch ei Mensch. Der Fremde ist ander aber es macht nichts:

Der Ring ist sowohl eine Zi als auch ein Wertgegenstand. D Gemeinschaft ist nicht nur ein Last, sondern auch eine Lus Der Krieg ist zwar ein Unglück aber manchmal unvermeidbar. D Zukunft ist sowohl dunkel a auch gehört sie dem Tüchtige Das Spielen ist nicht nur ei Zeitvertreib, sondern es bereite auch auf die Wirklichkeit vor. De Zwang ist zwar fragwürdig, abe er kann nützlich sein. Eine rau Jugend ist zwar ungerecht, abe sie macht hart. Hunger ist zwa schlimm, aber es gibt Schlimme res. Prügel sind zwar verwerflic aber man muß auch die posit ven Seiten sehen:

ausgiebig sondern auch Sommer und Winter. Die Sitzecken leuchten zwar aber zum Verdursten sind sie nicht nur wie geschaffen sondern verbringen auch bei Tageslicht betrachtet einen beschaulichen Lebensabend. Die besseren Lösungen sind nicht nur nicht erstrebenswert sondern fressen mir zwar aus der Hand werden aber auch jede Einmischung entschieden und mit Nachdruck zurückweisen.

J e liebevoller der Tisch gedeckt ist, d e s t o lieber kommst du nach Hause. J e größer die Raumnot, d e s t o gefährlicher die Gedanken. J e freudiger du arbeitest, d e s t o eher findest du zu dir selber. J e sicherer dein Auftreten, d e s t o leichter dein Vorwärtskommen. J e besser das gegenseitige Vertrauen, d e s t o erträglicher das Zusammenleben. J e feuchter die Hand, d e s t o unsicherer der ganze Mensch. J e sauberer die Wohnung, d e s t o sauberer der Bewohner. J e weiter nach Süden, d e s t o fauler die Leute:

Je mehr Holz auf dem Dach, desto mehr Schimmel im Backofen. Je mehr Städte unterkellert, desto mehr Umtriebe auf den Kohlenhalden. Je heller die Wäschestricke, desto mehr Erhängte im Handelsteil. Je nachdrücklicher die Forderung nach Vernunft im Gebirge, desto einschmeichelnder die Wolfsgesetze der freien Natur.

Es ist selbstverständlich daß eine große Vase auf dem Boden steht, wie es selbstverständlich ist, daß eine kleinere Vase auf einem Schemel steht während es selbstverständlich ist, daß eine noch kleiner Vase auf dem Stuhl steht, wie e selbstverständlich ist, da eine noch kleinere Vase auf den Tisch steht, während es selbstverständlich ist, daß rankende Blumen noch höher stehen. E ist selbstverständlich, da das Wohlbefinden von der Leistung bestimmt wird. Es ist selbstverständlich, daß die Verzweiflung hier keinen Platz hat:

Es ist selbstverständlich, daß der Mehlsack die Ratte erschlägt. Es ist selbstverständlich, daß das heiße Brot die Kinder zu früh zur Welt kommen läßt. Es ist selbstverständlich, daß weggeworfene Streichhölzer eine Vertrauenskundgebung einleiten.

Jedem Gegenstand gewinnst d etwas Neues ab. Niemand steh abseits. An jedem Tag geht di Sonne auf. Niemand ist uner setzlich. Jeder Aufbau bedeute Frieden. Niemand ist eine Insel Jeder fleißige Mensch ist überal

Jeder gespaltene Strohhalm ist ein Stimmzettel für die fortschrittlichen Kräfte. *Kein* Jahrmarkt bedeutet Sicherheit für alle. *Jeder* tropfende Wasserhahn ist ein Beispiel für gesundes Leben. *Kein* vernünftiger Arm hebt sich für das brennende Warenhaus. *Jeder* Bohrer, der auf eine Leiche stößt, entspricht einem Schnellfeuergeschütz, das in der Minute sechstausend Schuß abgeben kann.

Eine Katze ist *kein* Weiterkommen. Ein Stein ist *kein* vollgedeckter Bedarf. Ein Strohmann ist *keine* Todesziffer. Davonlaufen ist *keine* Gleichberechtigung. Einen Strick über den Weg spannen ist *kein* bleibender Wert.

gern gesehen. *Niemand* kann sich vor seinen Aufgaben drücken. *Jeder* neue Schuh tut am Anfang weh. *Niemand* hat das Recht, einen anderen auszubeuten. *Jeder* höfliche Mensch ist pünktlich. *Niemand*, der auf sich hält, läßt andere für sich arbeiten. *Jeder* vernünftige Mensch berücksichtigt bei *jedem* Schritt die Gesamtlage. *Niemand* zeigt mit den Fingern auf andere. *Jeder* Mensch verdient Achtung, *auch* eine Putzfrau:

Armut ist *keine* Schande. Krieg ist *kein* Spiel. Ein Staat ist *keine* Räuberbande. Eine Wohnung ist *keine* Fluchtburg. Arbeit ist *kein* Honiglecken. Freiheit ist *kein* Freibrief. Schweigen ist *keine* Entschuldigung. Eine Unterhaltung ist *kein* Verhör.

Das Tier *krepiert*. Die Granate *krepiert*. Könnte das Tier nicht krepieren, könntest du nicht sagen: die Granate krepiert:

Der Hund bellt. Der Befehlshaber bellt.

Die Lawine wälzt sich. Der Sterbende wälzt sich.

Die Fahnen flattern. Die Augenlider flattern.

Der Lachende gluckst. Das Moor gluckst.

Die Holzscheite knacken. Die Knochen knacken.

Die Tür springt auf. Die Haut springt auf. Das Streichholz brennt. Der Schlag brennt. Das Gras zittert. Der Ängstliche zittert. Die Ohrfeige klatscht. Der Körper klatscht. Die Zunge leckt. Die Flamme leckt. Die

Das Wasser steigt. Das Fiebe
steigt. Könnte das Wasser nich
steigen, könnte das Fieber nich
steigen.

Der Zornige grollt. Der Donne
grollt. Ohne den Zornigen könnt
der Donner nicht grollen.

Der Ballon schwillt an. De
Jubel schwillt an. Ohne de
Ballon könnte der Jubel nich
schwellen.

Der Unruhige zappelt. Der Ge
henkte zappelt. Ohne den Un
ruhigen könnte der Gehenkte nich
zappeln.

Das Blut schreit zum Himme
Das Unrecht schreit zum Him
mel. Ohne das Blut könnte das Un
recht nicht zum Himmel schreien.

Säge kreischt. Der Gefolterte kreischt. Die Lerche trillert. Der Polizist trillert. Das Blut stockt. Der Atem stockt.

Es ist nicht wahr, daß die Verhältnisse so sind, wie sie dargestellt werden; wahr ist vielmehr, daß die Verhältnisse anders sind als sie dargestellt werden. Es ist unwahr, daß die Darstellung der Verhältnisse die einzig mögliche Darstellung der Verhältnisse ist: wahr ist vielmehr, daß es im Gegenteil noch andere Möglichkeiten der Darstellung der Verhältnisse gibt. Es entspricht nicht den Tatsachen, die Verhältnisse überhaupt darzustellen; vielmehr entspricht es den Verhältnissen, sie überhaupt nicht darzustellen. Daß die Verhältnisse den Tatsachen entsprechen, ist unwahr.

Es ist unwahr, daß die Darstellung der Verhältnisse die einzig mögliche Darstellung der Verhältnisse ist: wahr ist vielmehr, daß es im Gegenteil noch andere Möglichkeiten der Darstellung der Verhältnisse gibt. *Kaspar spricht mit bis zum Ende.*

Du bückst dich; jemand sieht dich; du erhebst dich; du siehst dich. Du rührst dich; jemand erinnert dich; du setzt dich; du erinnerst dich. Du fürchtest dich; jemand beruhigt dich; jemand erklärt dich; du beeilst dich; du erklärst dich; du beunruhigst dich:

Ich beruhige mich.

Ich schrie noch.

Ich war schon da.

Ich bin noch stehengeblieben.

Ich war schon wach.

Ich strampelte schon.

Ich flüstere schon.

Ich hatte noch nichts an.

Ich bin schon draußen.

Ich bin noch ungläubig.

Ich laufe schon.

Ich ziehe schon den Kopf ein.

Ich höre schon.

Ich verstehe schon.

Ich weiß schon.

gingen vorbei

Du balltest schon die Faust.

Du hattest noch Atem geholt.

Der Stuhl steht noch auf seinen
Platz.

Es hatte sich noch nichts verändert

Die Tür ist schon zugesperrt.

Einige schliefen noch.

Es werden noch Klopfzeichen gehört.

Es gibt noch Unbelehrbare.

Hier und da rührt sich noch einer

Viele legen schon die Hände au
den Kopf.

Einzelne atmen noch.

Jemand widersprach noch.

Ein einzelner flüstert noch.

Es fallen noch einzelne Schüsse.

du

du

Lebendgewicht

du

leicht und heiter

du

griffbereit

du

nichts zu suchen

du

ein besseres Leben

du

gut lachte

du

alles meistern

du

wird überall siegen

du

senkte die Müttersterblichkeit

du

war führend

du

immer umfassender

du

frei von

du

ist Frieden und Zukunft

du

eine Beziehung zur Welt

du

die Dinge näherrückte

du

friedliche Zwecke

du

stetig wachsend

du

notfalls zu

du

nur zum Schutz

du

unaufhaltsam

du

reckte mich

du

trampelte

du

rief

du

war und ist

du

erkannte mich.

Du weißt, was du sagst. Du sagst was du denkst. Du denkst, wie d fühlst. Du fühlst, worum es geht

Du weißt, worum es geht. D weißt, was du willst. Du kannst wenn du willst. Du kannst, wen du nur willst. Du kannst, wenn d mußt.

Du willst nur, was alle wollen. D willst, weil du dich gedrängt fühlst Du fühlst, daß du es kannst. D mußt, weil du es kannst.

Sag, was du denkst. Du kanns nichts anderes sagen als was d denkst. Du kannst nichts sagen was du nicht auch denkst. Sag was du denkst. Wenn du sage willst, was du nicht denkst mußt du es im gleichen Augenblick auch zu denken anfangen. Sag, was du denkst. Du kannst anfangen zu sprechen. Du mußt anfangen zu sprechen. Wenn du zu sprechen anfängst, wirst du zu denken anfangen, was du sprichst, auch wenn du etwas anderes denken willst. Sag, was du denkst. Sag, was du nicht denkst. Wenn du zu sprechen angefangen hast, wirst du denken, was du sagst. Du denkst, was du sagst, das heißt, du kannst denken, was du sagst, das heißt, es ist gut, daß du denkst, was du sagst, das heißt, du sollst denken, was du sagst, das heißt sowohl, daß du denken darfst, was du sagst, als auch, daß du denken mußt, was du sagst, weil du nichts *anderes* denken darfst als das, was du sagst. Denk, was du sagst:

Als ich bin, war ich. Als ich war, bin ich. Wenn ich bin, werde ich sein. Wenn ich sein werde, war ich. Obwohl ich war, werde ich sein. Obwohl ich sein werde, bin ich.
Sooft ich bin, bin ich gewesen. Sooft ich gewesen bin, war ich. Während ich war, bin ich gewesen. Während ich gewesen bin, werde ich sein. Indem ich sein werde, bin ich gewesen. Indem ich gewesen bin, bin ich.

Dadurch, daß ich bin, war ich gewesen. Dadurch, daß ich gewesen war, war ich. Ohne daß ich war, war ich gewesen. Ohne daß ich gewesen war, werde ich sein. Damit ich sein werde, war ich gewesen. Damit ich gewesen war, bin ich gewesen. Bevor ich gewesen bin, war ich gewesen. Bevor ich gewesen war, bin ich.
Ich bin, so daß ich gewesen sein werde. Ich werde gewesen sein, so daß ich war. Ich war, sobald ich gewesen sein werde. Ich werde gewesen sein, sobald ich sein werde. *Ich* werde sein, während *ich* gewesen sein werde. *Ich* werde gewesen sein, während *ich* gewesen bin. Ich bin gewesen, weil ich gewesen sein werde. Ich werde gewesen sein, weil ich gewesen war. Ich war gewesen, weil ich gewesen sein werde. Ich werde gewesen sein, weil ich bin.
Ich bin, der ich bin.
Ich bin, der ich bin.
Ich bin, der ich bin.

Kaspar hört zu schaukeln auf:

Warum fliegen da lauter so schwarze Würmer herum?

Die Bühne wird schwarz.

28

Während es nach einigen Augenblicken der Stille wieder hell wird, fangen die Einsager wieder zu sprechen an:

Du hast Modellsätze, mit denen du dich durchschlagen kannst: indem du diese Modelle auf deine Sätze anwendest, kannst du alles, was scheinbar in Unordnung ist, in Ordnung setzen: du kannst es für geordnet erklären: jeder Gegenstand kann der sein, als den du ihn bezeichnest: wenn du den Gegenstand anders s i e h s t als du von ihm s p r i c h s t, m u ß t du dich irren: du m u ß t dir sagen, daß du dich irrst, und du w i r s t den Gegenstand richtig sehen: w i l l s t du es dir nicht gleich sagen, so ist es klar, daß du g e z w u n g e n werden willst, es also schließlich doch sagen w i l l s t.

Es ist jetzt sehr hell. Kaspar ist ruhig.

29

Du kannst lernen und dich nützlich machen. Auch wenn es keine Grenzen gibt: du kannst welche ziehen. Du kannst wahrnehmen: bemerken: in aller Unschuld aufmerksam werden: jeder Gegenstand wird ein Wertgegenstand. Du kannst dich ordentlich entwickeln.

Es ist noch heller. Kaspar ist noch ruhiger.

30

Du kannst dich mit Sätzen beruhigen: du kannst schön ruhig sein.

Es ist sehr hell. Kaspar ist seh ruhig.

31

Du bist aufgeknackt.

32

Die Bühne wird sofort schwarz.

Nach einem Augenblick: Du wirs schmutzempfindlich.

33

Es wird hell, aber nicht sehr. Kaspar sitzt still im Schaukelstuhl. Ein zweiter Kaspar, mit der gleichen gesichtsnahen Maske, gleich gekleidet, betritt von der Seite die Bühne. Er betritt sie mit dem Besen und kehrt dabei schon. Er kehrt schnell die Bühne, wobei jede Bewegung deutlich wird, etwa durch einen Scheinwerfer. Er stößt im Vorübergehen auch mit dem Besen die Schranktür zu, die aber nicht zubleibt. Er kehrt sorgfältig unter dem Sofa. Er kehrt den Schmutz sorgfältig zu einem Haufen am Seitenrand der Bühne zusammen. Er geht über die ganze Bühne zurück und holt die Schaufel. Er geht über die ganze Bühne zurück und kehrt den Schmutz auf die Schaufel. Er kriegt den Schmutz nicht mit einem Streich auf die Schaufel. Er kriegt ihn auch mit dem zweiten Streich noch nicht ganz auf die Schaufel. Indem er sich rückwärts über die Bühne bewegt, nicht gerade, sondern im Zickzack zwischen den Gegenständen hindurch, wobei er freilich den ersten Kaspar nicht behelligt, versucht er weiter, den Schmutz auf die Schaufel zu kriegen. Er kehrt und kehrt, bis er hinter der Bühne verschwunden ist. Im gleichen Augenblick wird es schwarz.

34

Nach einem Augenblick: Aufmerksam werden, daß du dich bewegst

35

Es wird hell. Ein dritter Kaspar tritt von der Seite auf, der einen vierten Kaspar begleitet. Der vierte Kaspar ist sehr stark gehbehindert. Er bewegt sich auf Krücken, die Beine mitschleifend, sehr, sehr langsam, fast u n m e r k l i c h. Der dritte Kaspar geht immer wieder etwas schneller, muß aber dann jedesmal warten, bis ihn der gehbehinderte Kaspar eingeholt hat. Das dauert recht lang. Sie gehen vorn über die Bühne, der dritte Kaspar näher zu den Zuschauern als der vierte. Der dritte Kaspar paßt sich zum Teil den Schritten des vierten an, zum Teil tut er den ihm selber gemäßen Schritt, muß aber dann selbstverständlich wieder warten, weil er den vierten begleitet. Beide schlurfen also, wie gesagt, geradezu »unerträglich« langsam über die Bühne, am ersten Kaspar vorbei. Als sie, endlich, verschwunden sind, wird die Bühne sofort schwarz.

36

Nach einem Augenblick: Womit du nicht fertig wirst, mit dem kannst du s p i e l e n.

37

Es wird hell. Zwei weitere Kaspars kommen aus verschiedenen Richtungen einander auf der Bühne entgegen. Beide wollen aneinander vorbei. Sie weichen beide in die gleiche Richtung aus. Sie stoßen zusammen. Sie weichen in die andre Richtung aus. Sie stoßen wieder zusammen. Sie wiederholen den Versuch in der ersten Richtung. Sie stoßen beinah zusammen. Was zuerst ungeschickt und natürlich ausgesehen hat, bekommt allmählich einen Rhythmus. Die Bewegungen werden schneller, auch gleichmäßiger. Sie stoßen nicht mehr aneinander. Schließlich bewegen sie nur noch die Oberkörper, schließlich rucken nur noch die Köpfe. Endlich stehen sie ganz still. Im nächsten Augenblick machen sie schon einen weiten eleganten Bogen umeinander und gehen links und rechts von der Bühne. Während ihrer Umgehungsversuche hat der erste Kaspar versucht, eine entfaltete Landkarte ordentlich zu falten. Es gelang ihm nicht. Schließlich begann er mit dem Wirrwarr zu s p i e l e n, *vielleicht Ziehharmonika. Plötzlich läßt sich, auf diese Weise, die Karte falten, im Augenblick, als die anderen Kaspars von der Bühne gehen, und es wird schwarz.*

38

Nach einem Augenblick: Aufmerk sam werden, daß alles von selbe wieder in Ordnung kommt:

39

Es wird hell. Ein andrer Kaspar betritt von der Seite die Bühne. Er Er stellt sich vor das Sofa, auf dem ein sehr dickes Polster liegt. Er drückt mit der Faust auf das Polster und tritt zur Seite. Die Zuschauer sehen deutlich auch durch Projektion auf die Bühnenhinterseite, wie das eingedrückte Polster sehr, sehr langsam wieder anschwillt. Mit einem letzten Ruck gewinnt es schließlich wieder seine ursprüngliche Form. Sofort wird die Bühne schwarz.

40

Nach einem Augenblick: Bewegungen:

41

Ein anderer Kaspar tritt von der Seite auf die Bühne. Er hält in der Hand einen Ball. Er legt den Ball auf den Boden und tritt zurück. Der Ball rollt weg. Der Kaspar tritt hinzu und legt den Ball zurecht. Der Ball rollt weg. Der Kaspar hält die Hand sehr lang auf den Ball. Er tritt zurück. Der Ball rollt weg. Es wird schwarz.

42

Nach einem Augenblick: Schmerzen.

43

Noch im Dunkeln sehen die Zuschauer, wie auf der Bühne zwei Streichhölzer angerissen werden. Als es hell wird, sitzt der letzte Kaspar auf dem Sofa, der ursprüngliche im Schaukelstuhl. Sie halten die Streichhölzer zwischen den Fingern. Die Streichhölzer brennen nieder. Die Flammen berühren die Finger. Die beiden bleiben still. Die Bühne wird schwarz.

44

Nach einem Augenblick: Geräusche.

45

Als es hell wird, ist der erste Kaspar allein auf der Bühne. Er steht schon beim großen Tisch. Er nimmt die breithalsige Flasche mit Wasser und gießt ein wenig Wasser in das danebenstehende Glas. Das Geräusch des Wassers ist sehr deutlich, bis in die Ränge hinauf, zu hören. Er hält ein. Er schüttet das Wasser aus dem Glas schnell in die Flasche zurück. Er nimmt die Flasche und gießt langsam das Wasser aus der Flasche zurück in das Glas. Das Geräusch des Wassers ist noch deutlicher. Als das Glas voll ist, wird die Bühne schwarz.

46

Nach einem Augenblick: ein Ton.

47

Als es hell wird, schneller als früher, steht, während der erste Kaspar am Tisch steht, ein andrer auf der Seite der Bühne. Er hält eine dicke Rolle Papier, die von einem Gummiband zusammengehalten wird. Er zwängt nach und nach das Gummiband von der Rolle. Das Gummiband springt ab. Ein Ton entsteht. Sofort wird die Bühne schwarz.

48

Nach einem Augenblick: ein Anblick.

49

Noch im Dunkeln hören die Zuschauer ein Geräusch. Als es jetzt hell wird, ist der erste Kaspar wieder allein auf der Bühne. Er sitzt am Tisch, auf dem die Schale mit den künstlichen Früchten steht. Er hält in der Hand einen Apfel, den er zu einem Teil schon geschält hat. Er schält weiter. Das Band der Schale wird immer länger. Kurz bevor der Apfel fertig abgeschält ist, hört Kaspar auf. Er legt den Apfel auf die Zierfrüchte. Das

Schalenband hängt weit herunter.
Die Bühne wird schwarz.

50

Die Einsager sind still.

51

Es wird hell. Kaspar steht in der Mitte zwischen Tisch und Schrank. Er öffnet mit der einen Hand die zur Faust geballte andre Hand, gewaltsam, Finger um Finger, während die andre Hand sich sträubt, immer zäher. Schließlich reißt er sich die Hand auf. Sie ist leer. Die Bühne wird schwarz.

52

Es wird schneller wieder hell. Ein andrer Kaspar sitzt auf dem Sofa. Der ursprüngliche Kaspar s i e h t den andern. Die Bühne wird schwarz.

53

Es wird noch schneller wieder hell. Kaspar ist wieder allein auf der Bühne. Er steht vor dem Schrank, das Gesicht zu den Zuschauern. Die Bühne wird schwarz.

54

Es wird noch schneller wieder hell. Kaspar sieht an sich selber herunter. Die Bühne wird schwarz.

55

Kaspar versucht sich selbst einzufangen. Er läuft zuerst in einem großen Kreis über die Bühne sich nach, läuft dann spiralig in kleineren Kreisen, bis er, indem er sich auf der Stelle dreht, nach sich greift und darauf, indem er auf der Stelle steht, nur noch mit den Händen um den Körper herum sich einfangen will – worauf er still wird und die Bühne schwarz wird.

56

Es wird noch schneller wieder hell. Kaspar steht vor dem Schrank, mit dem Rücken zu den Zuschauern. Die Bühne wird schwarz.

57

Es wird hell. Kaspar ist schon daran, die Schranktüren zu schließen. Er drückt sie lange zu. Er tritt einen Schritt zurück. Die Schranktüren bleiben zu. Die Bühne wird schwarz.

58

Es wird hell. Es ist sehr hell. Kaspar lehnt mit dem Rücken am Schrank. Die Bühne sieht sehr harmonisch aus. Ein Akkord. Ein eigener Scheinwerfer richtet sich auf Kaspar. Er stellt sich in verschiedene Posen. Er ändert immer wieder die Stellung von Armen und Beinen. Er kreuzt zum Beispiel die Arme übereinander, schiebt ein Bein vor, läßt die Arme fallen, kreuzt die Beine übereinander, steckt die Hände in die Taschen, zuerst in die Hosentaschen, dann in die Rocktaschen, stellt sich breitbeinig, legt schließlich die Hände gekreuzt über den Bauch, stellt die Füße eng nebeneinander, kreuzt endlich doch wieder die Arme über der Brust. Er läßt die Beine gerade nebeneinander.

Er fängt zu sprechen an:
Ich bin gesund und kräftig. Ich bin ehrlich und genügsam. Ich bin verantwortungsbewußt. Ich bin fleißig, zurückhaltend und bescheiden. Ich bin stets freundlich. Ich stelle keine großen Ansprüche. Ich habe ein natürliches und gewinnendes Wesen. Ich bin bei allen beliebt. Ich werde mit allem fertig. Ich bin für alle da. Meine Ordnungsliebe und Sauberkeit geben nie zu Tadel Anlaß. Meine Kenntnisse sind überdurchschnittlich. Ich führe alle übertragenen Arbeiten zur vollen Zufriedenheit aus. Jeder kann eine gewünschte Auskunft über mich geben. Ich bin friedliebend und unbescholten. Ich gehöre nicht zu denen, die bei jeder Kleinigkeit gleich ein großes Geschrei erheben. Ich bin ruhig, pflichtbewußt und aufnahmefähig. Ich bin begeisterungsfähig für jede gute Sache. Ich möchte vorwärtskommen. Ich möchte lernen. Ich möchte mich nützlich machen. Ich habe Begriffe über Länge, Breite und Höhe. Ich weiß, auf was es ankommt. Ich gehe mit den Gegenständen gefühlvoll um. Ich habe mich schon an alles gewöhnt. Es geht mir besser. Es geht mir gut. Ich kann in den Tod gehen. Mein Kopf ist heiter geworden. Ich kann endlich allein gelassen werden. Ich möchte mich von meiner besten Seite zeigen. Ich beschuldige niemanden. Ich lache viel. Ich kann mir auf alles einen Reim machen. Ich habe keine besonderen Kennzeichen. Ich entblöße nicht beim Lachen das obere Zahnfleisch. Ich habe keine Narbe unter dem linken Auge und kein Muttermal hinter dem rechten Ohr. Ich bin nicht gemeingefährlich. Ich möchte ein Mitglied sein. Ich möchte mitwirken. Ich bin stolz auf das Erreichte. Ich bin fürs erste versorgt. Ich bin vernehmungsfähig. Vor mir liegt eine neue Strecke. Das ist meine rechte Hand, das ist meine linke Hand. Ich kann mich zur Not in die Möbel verkriechen. Es ist schon immer mein Wunsch gewesen, d a b e i z u s e i n.
Er löst sich vom Schrank, macht einen Schritt oder zwei, der Schrank ist zu:
War es mir früher, als gäbe es mich gar nicht, so gibt es mich jetzt fast zu viel, und die Gegenstände, von denen es früher zu viel gab, sind mir jetzt fast zu wenig geworden.

Er ist unterdessen langsam weiter nach vorn gegangen. Der Schrank ist zu:
Früher mit Sätzen geplagt
kann ich jetzt von Sätzen nicht genug haben
früher von den Wörtern gejagt
spiele ich jetzt mit jedem einzelnen Buchstaben.
Er bleibt stehen:
Habe ich früher immer nur geredet, wenn ich gefragt
wurde, so rede ich jetzt von selber, aber jetzt
kann ich mit dem Reden warten, bis ich gefragt
werde.
Er geht einen Schritt weiter oder mehr:
Früher war mir jeder vernünftige Satz eine Last
und jede vernünftige Ordnung verhaßt
doch künftig
bin ich vernünftig.
Er geht einen Schritt oder auch nicht:
Früher warf ich einen Stuhl um, dann einen zweiten, dann einen dritten:
jetzt, mit dem Eintritt der Ordnung, verändern sich meine Sitten.
Er geht etwa einen Schritt:
Ich bin still
ich möcht jetzt
kein andrer mehr sein
nichts mehr hetzt
mich gegen mich auf.
Jeder Gegenstand
ist mir zugänglich
geworden
und ich
bin für jeden Gegenstand
empfänglich
geworden.
Ich weiß jetzt, was ich will:
ich will

still
sein
und jeden Gegenstand
der mir unheimlich ist
bezeichne ich als mein
damit er aufhört
mir unheimlich zu sein.

Er geht seitlich von der Bühne, kehrt aber nach einigen Schritten zurück und tut, als hätte er noch etwas zu sagen. Er sagt nichts. Er geht wieder weg, diesmal mehr Schritte, kehrt aber wieder ein wenig zurück und tut, als hätte er noch etwas zu sagen. Er sagt nichts. Er geht fast ab, kommt aber noch einen oder zwei Schritte zurück und tut, als hätte er noch etwas zu sagen. Er sagt nichts. Dann geht er schnell AB. Auf der jetzt menschenleeren Bühne gehen die Schranktüren sehr langsam wieder auf. Wenn die weit offenen Schranktüren an ihren Ruhepunkt gekommen sind, wird die Bühne mit einem SCHLAG schwarz, und der Zuschauerraum wird zur gleichen Zeit mit einem SCHLAG sehr hell. Es ist Pause. Die Saaltüren werden aufgemacht.

59

Nach einigen Augenblicken hören die Zuschauer durch alle Lautsprecher, im Zuschauerraum wie auch in sämtlichen Vorräumen, womöglich bis auf die Straße hinaus, zunächst halblaut und kaum verständlich die Pausentexte. *Diese sind zusammengesetzt aus Bandaufnahmen der Einsager, Geräuscheinschüben, Originalaufnahmen von e c h t e n Parteiführern, Päpsten, öffentlichen Sprechern jeder Art, auch von Staats- oder Ministerpräsidenten, vielleicht auch von e c h t e n Dichtern, die zu Anlässen sprechen. Die Sätze sind niemals vollständig, werden immer durch andere Stummelsätze ergänzt und abgelöst. Die Zuschauer werden zwar an ihrer verdienten Unterhaltung nicht gehindert, aber doch ab und zu ein wenig gestört. Einige könnten auch ohne weiteres, wenigstens mit einem Ohr, dabei sich ihrem Getränk widmend, zuhören. Der Text ist vielleicht folgender: (Geräusche, die Gläserklirren sein könnten)* von allen Überresten der Gegenwart frei werden wir das letzte Wort haben. Der Überschuß ist niedriger als der Prüfstein tagte der jetzt schon fest steht. Im Schnitt ist das Leben angestiegen. *(Lauteres Gläserklingen)* Was einmal keine unberechtigte Forderung war kommt jetzt für viele unerwartet und viel zu früh. Wir brauchen mehr Mut wenn wir nicht zu retten sind. Eine neue Massenflucht ist wichtiger als ein Mord den es nie gegeben hat. Die gesunde Härte wird oft zu Unrecht vergessen. Wir wollen arbeiten bis auf den letzten Mann. Man muß nicht nur herumstehen sondern auch die Mauern niederreißen. *(Das Geräusch eines großen Lastwagens, der sich nähert und wieder entfernt)* Kritisieren allein schadet jedem belebenden Fortschritt wie er auch zuschlagen mag. Vor Viehherden sollen die Grenzen sich hüten. Die Ereignisse sind dazu da sie ohne Vorbehalt anzuzünden. Ohne Tote geht es weder aufwärts noch abwärts. Hunger nützt nichts und belehrt niemand eines Besseren. *(Inzwischen haben die Blätter einer großen Motorsäge angefangen, im Leeren zu rattern, wobei das Geräusch immer lauter wird)* In letzter Zeit nehmen die Stimmen zu die schwer mit sich zu spielen haben. Die Waagschalen neigen sich dem Ende entgegen obwohl jeder zu Opfern bereit ist. Wir müssen mit der Rattenplage zu einem beide Seiten befriedigenden Ergebnis kommen. Jeder sollte endlich aufhorchen wenn er vor den Schaufenstern steht. Es gilt die Begriffswelt jeder Forderung sachgerecht zu erörtern. Niemand kann sich darauf stützen die Lage zu überschatten. Überhaupt! *(Die Sägeblätter treffen kreischend auf Holz; das Geräusch geht jedoch bald in ein Plätschergeräusch über)* Nichts was nach außen kommt ist deswegen schon ein Zerrbild. Das Menschliche scheint ziemlich unausrottbar zu sein. Ewig sind wir unter der Bedingung daß wir uns den Blick auf das öffentliche Ärgernis das die Welt ist nicht von unverantwortlichen Kreisen rauben lassen. Jede Kampfansage gilt jeder Geduld die einmal erschöpft ist. Gütiges Überreden braucht nicht in einem

Schlag mit der Wasserwaage zu enden. Jeder ist soweit aufgerufen das Ding beim wohlverdienten Namen zu nennen. Die Polizei hat es immer schwer weil sie sich rechtfertigen muß. Wir sind alle nicht ganz unschuldig an der späten Tageszeit. *(Gejohle, Pfeifen, Trampeln, Wellenrauschen)* Eine skeptische Börse kommt am besten davon. Wir wollen zumindest die Arbeitnehmer nicht als Menschen erster Klasse nachzahlen lassen wenn auch manches für einen Abbruch spricht. Frechheit allein ist noch kein Orden. Den Flüchtlingen muß selbstverständlich geholfen werden aber mit bloßen Füßen davonzulaufen gehört nicht zu unserem Problemkreis. Wir wissen die Gläser zu handhaben und noch mehr. Uniformträger kennen die Schwierigkeiten wenn es plötzlich dunkel wird. Atemberaubend sind die Garderoben der Richter wenn es ums schäbige Ganze geht. Wir wollen uns alle bewegen mit dem tiefen Ernst um den es sich handelt. *(Das Anschwellen eines Fußballchors, der plötzlich aufseufzend wieder abbricht, dann wieder ein Anschwellen, das in ein gleichmäßiges Ab- und Anschwellen übergeht)* Nörgeln ist leichter als sich eine wohlverdiente Wohnung beschaffen. Wir fügen jedem Gleichgesinnten ohne weiteres Verletzungen an Kopf und Brust zu. Das Gastrecht darf nicht nur nicht kein überholter Begriff sein sondern es muß darüber hinaus mit einem Gehirnschlag darauf hingewiesen werden. Ein Schraubenzieher in der Luftröhre ist ein angemessenes Entgelt für jemanden der immer nur die Pflicht eines andern getan hat. Jeder der auf sich hält verliert beim Angeln die Nerven. Wir wollen jeden der an den Grundlagen rüttelt in Kauf nehmen. *(Ein scharf bremsendes Auto, zugleich der Wasserstrahl einer Feuerwehr.)* Die Umwandlung der Gesellschaft in jede beliebige Massenversammlung kommt einem Trostpflaster für einen Blinden gleich. Der Krieg im Sandkasten hat schon manchen lebenden Leichnam gekostet. Wer so denkt wie er handelt stärkt nur den Andersdenkenden das Genick. Niemand verdient ein Schicksal das ihn dem Erdboden gleichmacht. Das Leben war früher zwar einträglicher aber jetzt ist es dafür kein Strohfeuer mehr. *(Der langanhaltende Ton einer Fabriksirene und eines Nebelhorns)*

Was von den Eigentümern gesagt wurde das gilt umso weniger von den Fleischwunden. Jeder der blindlings tötet macht sich etwas vor das zumindest fragwürdig ist. Wer gegen die Lieferung von Weizen protestiert muß auch gegen das Umdenken protestieren. Wir schätzen die Kraft des freien Entschlusses mehr als gewisse Hetzjagden auf schwimmende Menschen. Das gesicherte Lebensgefühl trägt viel dazu bei daß die nützlichen Gespräche niemals aufhören. Zu wenig ist bis jetzt über die Minderheiten gesagt worden die sich stolz in ihre Sitzecken verkriechen. *(Das Verrücken von Stühlen auf einem Steinboden)* Was früher verboten war ist jetzt mit allen Wassern gewaschen. Jede äußere Ordnung ermöglicht einen ruhigen gemäßigten Gedankenaustausch. Das Weder-Noch halten wir für das Kennzeichen des freien Menschen. Wir müssen uns alle um Verständnis bemühen wenn ein Toter sich einmal mit der Farbe des Grases schlägt. Ein Mord ist nicht unbedingt mit einem Sturzflug gleichzusetzen! Eine Verbrennung dritten Grades verstopft jeden Benzinautomaten. *(Pferdetrappeln, zugleich vielfältiges Sitzaufklappen, Straßenlärm, Türenzuschlagen, Schreibmaschinengeräusche)* Niemand wird ohne Grund verabschiedungsreif geschlagen. Das Recht auf Grundstücke bedarf keiner näheren Angaben. Eine Lockerungsübung entspricht auf die Entfernung einem Knüppel zwischen den Beinen. War früher jeder Selbstmörder Linkshänder so ist jetzt die Regelung einheitlich geworden. Keine Gefechtspause läßt Zeit zum Zählen der schlafenden Fliegen an der Decke eines Kuhstalls. Ein einzelner auf der Spitze eines Kirchturms kommt einem Aufruhr gleich. Wenn man einem Gewalttätigen allein gegenübertritt ist man selber ein Gewalttätiger während man wenn man einem Gewalttätigen gleich zu viert oder zu sechst kommt worauf dieser freiwillig sanft wird selber sanft ist. *(Schon vorher sind die Geräusche in verzerrte Musikgeräusche übergegangen, ähnlich wie sie bei einer Platte entstehen, die mit einer zu geringen Geschwindigkeit abgespielt wird; dazu wird eine sehr monotone, rhythmische Musik verwendet. Dazwischen wird Wasser allmählich voll aufgedreht, dann an einer Wasserspülung gezogen, dazu kommen vielleicht noch heftige Atemgeräusche, dann Peitschgeräusche, plötzlich Lachausbrüche wie nach einem Witz, Frauenlachen, das man bei manchen Tischgesellschaften hören kann: während der ganzen Zeit hören die Zuschauer aber immer noch, wenn auch ziemlich unverständlich, die gesprochenen Texte: dann folgt ein kleiner Augenblick der Ruhe, dann folgen wieder Geräusche und Texte, dann folgt ein größerer Augenblick der Ruhe, dann etwa die folgenden Texte allein)* Ein schön gedeckter Tisch. Alles in bester Ordnung. Du überstürzt nichts. Du bist der Begleiterin beim Ablegen behilflich. Die bunte Decke auf dem Tisch sorgt für Heiterkeit. Rechts liegt das Messer. Links die Serviettentasche. In der Mitte steht der Teller. Hinten rechts vom Teller steht die Tasse. Vor der Tasse liegt das Messer. Das Handtuch hängt rechts vom Messer. Auf dem Handtuch liegt dein Finger. Rechts vom Handtuch liegt ein Verbandkasten. Platten werden von links gereicht. Die Suppe wird von rechts gereicht. Die Getränke werden von rechts gereicht. Alles, was du dir selbst nimmst, wird von links gereicht. Der Stich kommt von rechts. Du sitzt in der Mitte. Der Salzstreuer steht links. Der Löffel liegt rechts außen neben dem Messer. Die Mulde des Löffels liegt nach oben. Der Würgegriff kommt von beiden Seiten. Deine Hand liegt auf dem Tisch. Die Schneide des Messers weist nach links. Von dir aus gesehen ist das Herz des Gegenübers rechts. Das Glas steht rechts vom Teller. Du trinkst in kleinen Schlucken. Der Schlag ist wirksamer von unten. Der Blumenstrauß steht in der Mitte des Tisches. Die Gabel liegt links vom Teller. Weiße Blumen darfst du nicht Sterbenden schenken. Du sitzst grundsätzlich aufrecht. Der Ältere liegt rechts. Der Blumenstrauß verdeckt dir nicht den Blick auf dein Gegenüber. Der Kuchenteller steht in der Mitte jedes Platzes. Der Kohlenhaufen liegt unter dem Tisch. Du legst den Kopf nicht auf die Arme. Du suchst immer nach freundlichen Worten. Das Opfer eines Attentats liegt in der Mitte jedes Platzes. Der Leuchter steht in der Mitte des Tisches. Ein Fleck auf dem Hemd ist alltäglich. Das Messer gleitet nicht selten auf dem Teller ab. Die Hand deines Nachbarn liegt auf dem Messer. Du verschluckst dich nicht. Du unterhältst dich nach links und nach rechts. *(Wieder hat krachend die zu langsame Musik eingesetzt, die zunächst gar nicht als Musik erkennbar ist. Häuser stürzen ein und Bomben schlagen ein, aber ziemlich weit weg; das Gerede wird allmählich durch die Geräusche unverständlich gemacht, schließlich ganz verdrängt; dazwischen hören die Zuschauer auch schon die Klingelsignale, sowohl auf Band als Läuten, Rasseln, Gong, Fabriksirene als auch die wirklichen, theatralischen Klingelzeichen, die die Zuschauer zurück in den Zuschauerraum rufen)*

60

Während das Licht im Zuschauerraum wieder theatralisch ausgeht, wird die offene Bühne mäßig hell. Die Gegenstände zeigen sich den Zuschauern in der Ordnung, wie sie vor der Pause waren. Der Schrank ist offen. Auf dem Sofa hinten sitzen schon zwei Kaspars, eng nebeneinander. Sie verhalten sich still. Die Masken haben jetzt den Ausdruck der Zufriedenheit. Nach einigen Augenblicken der Ruhe fangen die Einsager über den ganzen Raum zu rezitieren an:

61

Beim Dreinschlagen
ist man
nie so ruhig wie beim Teppichklopfen
Ein regelmäßiger Wassertropfen
auf den Kopf
ist kein Grund
über Mangel an Ordnung zu kla-
gen
ein Schluck Säure in den Mund

oder ein Tritt in den Magen
oder einen Stab
in die Nasenlöcher und weiter z
bohren
oder etwas dergleichen
nur spitzer
ohne sich zu zieren
in die Ohren
einzuführen
jemanden mit allen Mitteln
vor allen Dingen
ohne an den Mitteln zu kritteln
auf Trab
und in Ordnung zu bringen
das ist kein Grund
über Mangel an Ordnung ein Wo
zu verlieren:
denn
beim In-Ordnung-Bringen
bringt man wohl oder übel
a n d r e zum Singen
während man dann
wenn
alles in Ordnung gebracht ist
und alles was noch gelacht h a t
gelacht i s t
s e l b e r singen
und nach dem Dreinschlagen
wenn Fäuste und Füße nichts meh
zu tun haben
zur Beruhigung Teppich klopfe
kann.

Ein dritter Kaspar mit einem kleinen, in Packpapier eingewickelten Paket, tritt von der Seite auf und setzt sich auf das Sofa, ordentlich neben die zwei andern, das Paket auf den Knien.

Beim In-Ordnung-Bringen
ist man nicht so still
und ordentlich
wie später
wenn man –
selber durch die an andere verteilte Tracht Prügel in Ordnung gebracht –
mit ruhigem Gewissen
die in Ordnung gebrachte Welt
genießen will
und kann.

Ein vierter Kaspar, mit einem ähnlichen Paket, tritt auf. Der dritte Kaspar schafft zwischen sich und den zwei andern eine Lücke. Der vierte Kaspar setzt sich in die Lücke, das Paket auf den Knien. Alle vier Kaspars sind still.

Beim Dreinschlagen
denkt man aus Vernunft
nicht an die Zukunft
aber in der Pause
zwischen den Schlägen
ist es von Segen
an die Zeit der Ordnung zu denken
damit
ein zu ungeordneter Tritt
nicht bei der Wiederaufnahme der Schläge
beiträgt
die Gedanken
des gesellschaftlich Kranken

für später
wenn er sich einlebt
in die falsche Richtung zu lenken.

Ein fünfter Kaspar mit einem ähnlichen, vielleicht größeren Paket, tritt auf. Der dritte Kaspar steht auf. Der fünfte Kaspar setzt sich auf den Platz des dritten Kaspar. Der dritte zwängt sich nach außen auf den noch freien Platz neben dem vierten Kaspar. Der fünfte Kaspar stellt das Paket vor sich auf den Boden. Alle fünf Kaspars sind still.

Wenn
aber beim Dreinschlagen das Herz
klopfen ausbleibt
und die Faust
dem Geschlagenen den Atem
aus der Lunge
nur (um wieder das Bild zu ver
wenden)
wie Staub aus
dem Teppich
heraustreibt
und man dem Geschundenen di
Zunge
nur (um wieder das Bild zu ver
wenden)
wie die Fransen des Teppichs
geradezieht
dann erst geschieht
ein Unrecht:
denn
beim Dreinschlagen
d a r f man nicht so ruhig sein

wie beim Teppichklopfen
beim Maulstopfen
muß man unruhig sein:
um nicht später unruhig zu werden:
beim Dreinschlagen ist das Ausbleiben des Herzklopfens auf Seiten des Schlagenden schlecht:
denn
jeder dessen Hand beim Dreinschlagen
gebührlich gezittert hat
ist ein unbeschriebenes Blatt
und einer mehr
der sich später nichts vorzuwerfen hat:
so herrscht Ruhe auf Erden.

Der ursprüngliche Kaspar, gleich anzusehen wie alle, tritt mit einer sicheren Bewegung, ohne den Spalt im Vorhang zu suchen, durch den hinteren Vorhang. Auch seine Maske zeigt den Ausdruck der Zufriedenheit. Er geht wie zum Verbeugen festen Schrittes, indem er allen Gegenständen schön ausweicht, nach vorn, wo das Mikrofon steht. Er bleibt vor dem Mikrofon stehen. Alle sechs Kaspars sind still.

Die in Ordnung Gebrachten
— statt sich in sich selber zurückzuziehen
und die Gesellschaft
zu fliehen –
sollen jetzt reell danach trachten

ohne Zwang und Schläge
aus eigener Kraft neue Wege
zu zeigen
indem sie
nach für alle gültigen Sätzen suchen:
sie können nicht wählen
sie müssen wählen
und den andern ohne Phrasen
und Sprechblasen
die Wahrheit über sich
selber erzählen:
auch die andern
sollen endlich wollen können
was sie selber
jetzt wollen sollen können.

62

Kaspar, am Mikrofon, fängt zu sprechen an. Seine Stimme wird der der Einsager ähnlich.
Schon lange
auf der Welt
sah ich nichts ein
ich wunderte mich
über das Selbstverständliche
und fand alles Endliche
oder Unendliche
lächerlich
jeder Gegenstand machte mir bange
die ganze Welt war mir vergällt
ich wollte weder ich selber
noch jemand andrer sein
die eigene Hand
war mir unbekannt

die eigenen Beine
gingen allein
ich schlief
tief
mit offenen
Augen:
ich war ohne Bewußtsein
gleich einem Besoffenen
und wollte
obwohl ich sollte
nichts taugen
jeder Anblick brachte
mir Unlust
jedes Geräusch
täusch-
te mich
über sich
jeder neue Schritt
verursachte
mir Ekel und ein Saugen
in der Brust
ich kam nicht mit
ich selber verstellte
mir die Sicht
kein Licht
ging mir auf
bei all dem Wust
von Sätzen kam ich niemals drauf
er gelte mir
ich merkte nichts von dem was um
mich vorging
bevor ich anfing
auf die Welt zu kommen.

Er ist einige Augenblicke still. Auch die Kaspars auf dem Sofa hinten sind recht still.

Das Lärmen
und das Geschrei
a u ß e n
hielt ich für ein Sausen
und Kollern i n n e n in meinen Ge-
därmen:
ich mußte darunter leiden
daß ich nichts unterscheiden
konnte:
drei war nicht mehr
als zwei
und wenn ich mich sonnte
regnete es
während ich
wenn ich in der Sonne schwitzte
oder mich beim Laufen erhitzte
dem Schweiß mit einem Regen-
schirm
begegnete
ich konnte nichts auseinanderhalten
weder das Heiße vom Kalten
weder das Weiße vom Schwarzen
weder Gestern von Heute
weder Neues vom Alten
weder Leute von Dingen
weder Beten von Lästern
weder Streicheln von Treten
jeder Raum
erschien
mir flach
und kaum
war ich wach
fielen die flachen Gegenstände
über mich her als ein Traumbild:
sie leisteten mir Widerstände
all das Unbekannte verhörte

mich gleichsam
und das Ununterscheidbare verwirrte meine Hände
und machte mich wild
so daß ich mich
in den Gegenständen
verirrte
verrannte
und
um herauszufinden
sie zerstörte.

Er ist einige Augenblicke still. Auch die Kaspars auf dem Sofa hinten sind noch still.

Ich kam zur
Welt nicht nach der Uhr
sondern weil
die Schmerzen
beim Fallen
mir halfen
einen Keil
zwischen mich und die Gegenstände
zu schieben
und mein Lallen
endlich auszumerzen:
so hat das Wehtun mir die Verwechslungen
schließlich ausgetrieben.

Ich lernte alles was leer war
mit Wörtern zu füllen
und lernte wer wer war
und alles was schrie
mit Sätzen zu stillen
kein leerer Topf

verwirrt mehr meinen Kopf
alles ist mir zu Willen
nie
wieder
schaudere ich
vor einem leeren Schrank
vor leeren Kisten
leeren
Zimmern
ich zaudere vor keinem Gang
hinaus ins Freie
für jeden Riß
in der Mauer habe
ich Sätze
als Lis-
ten
die mir helfen
die Lage nicht zu verschlimmern:

Er hebt jetzt den Ton. Das Licht wird heller. Die anderen Kaspars sind noch still.

Jeder muß frei sein
jeder muß dabei sein
jeder muß wissen was er will
keiner darf den Drill
vermissen
lassen
keiner darf sich morgens hassen
jeder muß sein Leben leben
jeder muß sein Bestes geben
jeder muß sein Ziel erreichen
keiner darf über Leichen
gehen
keiner darf im Winkel stehen
jeder muß jedem in die
Augen sehen

können
jeder muß jedem das Seine gönnen

Die anderen Kaspars auf dem Sofa beginnen seltsame Laute zu erzeugen, deren Bedeutung nicht eindeutig ist. Die Zuschauer hören Andeutungen von stilisiertem Schluchzen, ein nachgeahmtes Windgeräusch, Kichern.

Jeder muß seinen Mann
stehen
jeder muß den Dingen
auf den Grund gehen
jeder muß dem andern
auf den Mund schauen
keiner darf dem andern
einfach blind vertrauen
jeder muß am andern
auch die guten Seiten sehen
keiner darf so mir
nichts dir nichts in den Wind bauen
jeder muß sich leiten
lassen
keiner darf über andre Lügen
verbreiten
lassen

Die Zuschauer hören, zum Teil schon gleichzeitig mit des einen Kaspars Reden, von hinten Raunen, Krächzen, nachgeahmte Käuzchengeräusche, Jammern, Singen mit Kopfstimme.

Jeder muß an sich arbeiten
keiner darf mit dem anderen
streiten
jeder muß auch für die anderen

sorgen
jeder muß an morgen
denken
jeder muß sich geborgen
fühlen

Die Zuschauer hören hinten Säuseln, Schilfklatschen, schallendes Gelächter, Summen, Sirren, Surren, einen einzelnen spitzen Aufschrei.

Jeder muß sich vor dem Essen
die Hände waschen
jeder muß im Gefängnis die
Taschen leeren
jeder muß vor der eigenen Türe
kehren
keiner darf dem andern aus den
Händen fressen
jeder muß sich um den andern
kümmern
jeder muß gekämmt bei Tisch
erscheinen
keiner darf den andern wimmern
und weinen
lassen
jeder muß mitanfassen
keiner darf Kaffee aus Untertassen
trinken
jeder muß jedem zuwinken
jeder muß sich die Nägel schneiden
keiner darf den andern
das Leben verleiden
keiner darf das saubere Tischtuch
beschmutzen
jeder muß sich die Nase putzen
keiner darf mit Witzen
das Ansehen der anderen

lächerlich machen
keiner darf andere auslachen
keiner darf den andern bei der
Beerdigung kitzeln
keiner darf Toilettenwände
bekritzeln
keiner darf das Gesetzbuch
zerschnitzeln
jeder muß jedem Gehör schenken
jeder muß sich in jeden
hineindenken können
jeder muß jedem seinen Namen
nennen.

Die Geräusche und Laute im Hintergrund haben sich inzwischen so verstärkt, daß der Kaspar vorn seine Stimme immer mehr heben mußte. Am Schluß seiner Reime, obwohl die anderen Kaspars noch still sitzen – nur trillern, sich räuspern, jubilieren, zwitschern, stöhnen, hecheln usw. – haben die Geräusche die Reden des Kaspar vorn so laut werden lassen, daß diese donnernden Schlußworten gleichen.

63

Die Kaspars hinten sind vorderhand still. Der Kaspar vorn fängt zu singen an, mit Kopfstimme vielleicht. Die Einsager fallen nach und nach ein, in der Form eines Kanons, der aber nicht aufgeht. Sie singen leise und fein, so daß Kaspar immer verständlich bleibt. Kaspar singt als Bekenner.

Keiner darf mit den Zähnen
auf die Gabel beißen
keiner darf die Namen von
Mördern bei Tisch erwähnen
keiner darf in Dienstwagen Privatpersonen befördern
jeder muß sich für jedermann lohnen
keiner darf den andern einen
andern heißen
keiner darf nichtangemeldet
wohnen
jeder muß schwere Sachen
erst auf dem Heimweg kaufen
keiner darf jeden beliebigen wegen
seiner wulstigen Lippen auslachen
keiner darf jedem beliebigen auf
die Schulter tippen
keiner darf jedem beliebigen ein
Messer zwischen die Rippen rennen
jeder muß einen Polizisten auf
offener Straße Herr Wachtmeister
nennen

Auch die Kaspars hinten singe mit, aber nicht Wörter, nur Laute Sie singen auch nicht, sondern krei schen, blasen, jodeln, brummen ziehen Rotz auf, spielen laut mi dem Speichel im Mund, röhren keifen, rülpsen, atmen laut auf winseln usw.: das alles im Rhythmus des Gesangs. Sie werden jetz allmählich auch lauter.

Kein Möbelstück darf Staub fangen

kein Hungernder darf Schlange
stehen
kein Jugendlicher darf herum-
lungern
keine Bohnenstange
darf die Höhe der Starkstrom-
leitung erreichen
kein Banner darf in die falsche
Richtung wehen
jede Sittlichkeit muß vor allem
bei der Arbeit entstehen
jedes Tier das sich gleich bleibt
muß dem Tier das sich häutet
weichen
jedes Wort das nichts Gutes
bedeutet muß man streichen

Die Kaspars hinten werden noch lauter. Einer wickelt das laut knisternde Papier vom Paket, nimmt eine Feile aus dem Paket, und beginnt sich die Nägel zu feilen. Einer nachdem er mit seinem Paktet das gleiche, nur lauter, wiederholt hat, holt eine größere Feile hervor und beginnt sich auch die Nägel zu feilen. Die Geräusche sind schon zu hören.

Keinen Ellenbogen auf den Tisch
keinen Fisch
mit dem Messer
keinen Mitesser
mit den Fingern
keinen Löffel mit der Seite zum
Mund
kein Wund-
pflaster auf die müden Augen

keine Trüffel ungekocht
jeden Rüpel eingelocht:
den Widerspruch verhindern

Kaspar vorn spricht wieder:

Die Einsager singen, was er spricht und die anderen Kaspars quieken, bellen, machen Regen und Sturm nach, blasen zerkauten Kaugummi bis zum Platzen auf und dergleichen.

Kein Dreck an einem wahren
Stecken
jeder echte Finger
zum Abschlecken
jeder pünktliche Zug
zum Abfahren
jeder wirkliche Mensch
über alles im klaren
jede wahrhaft gesunde Frucht
zum Einwecken
alles was nicht wesentlich ist
zum Verrecken

64

Er hört auf zu sprechen. Es entsteht eine Stille. Dann sagt Kaspar:

Was habe
ich doch
gerade
gesagt?
Wenn ich nur wüß-
te, was es ist,
was ich gerade
gesagt habe!
Wenn ich nur wüßte
was ich gerade

gesagt habe!
Was ist das
was ich gerade
gesagt habe?
Was habe
ich
eigentlich
gerade
gesagt?
Von was
war doch
noch
gerade
die Rede?
Wenn ich nur wüßte
was ich
gerade
geredet habe!
Was
war das
eigentlich
von dem ich
doch
gerade noch
geredet habe?

Noch während er sich das fragt, fängt er, wie auch die anderen Kaspars, zu kichern und dergleichen an. Zur gleichen Zeit singen auch die Einsager seine vorangegangenen Verse zuende. Kaspar schnippt zum Beispiel gegen das Mikrofon. Ein hoher Heulton kann entstehen. Alle Kaspars, während die Einsager zuende singen, produzieren schließlich ein wirklich ansteckendes Lachen. Schließlich, unter Seufzen und Kichern, werden der Redekaspar und die anderen Kaspars allmählich still. Die Zuschauer hören das Nagelfeilen, das zwei oder drei betreiben.
Der Kaspar vorn sagt:

Jeder Satz
ist für die Katz
jeder Satz ist für
die Katz
jeder Satz ist für die Katz

Es bleibt still.
Er fängt reimlos zu sprechen an.
Ein Scheinwerfer zeigt auf ihn.

Ich bin stolz gewesen über den ersten Schritt, den ich getan habe, aber über den zweiten habe ich mich geschämt; ebenso bin ich stolz gewesen über die erste Hand, die ich an mir entdeckt habe, aber über die zweite Hand habe ich mich geschämt: ich habe mich über alles, was sich wiederholte, geschämt; doch schon über den e r s t e n Satz, den ich gesprochen habe, habe ich mich geschämt, während ich mich über den z w e i t e n schon nicht mehr schämte und mich an die folgenden schon bald gewöhnt habe. Ich bin stolz auf den zweiten Satz gewesen.

In meiner Geschichte wollte ich mit dem ersten Satz nur Geräusche erzeugen, während ich mich mit dem nächsten Satz schon bemerkbar machen wollte, während ich mit dem nächsten Satz schon SPRECHEN wollte, während ich mich mit dem nächsten Satz schon SPRECHEN HÖREN wollte, während ich mit dem nächsten Satz schon wollte, daß ANDERE mich sprechen hörten, während ich mit dem nächsten Satz schon wollte, daß die anderen hörten, WAS ich sprach, während ich mit dem nächsten Satz schon wollte, daß andre überhört wurden, die AUCH einen Satz sprachen, und erst den vorletzten Satz der Geschichte zum FRAGEN gebrauchte, und erst mit dem letzten Satz der Geschichte anfing zu fragen, was denn die ANDEREN gesprochen hatten, die überhört wurden, während ich meinen Satz sprach.

Ich habe den Schnee gesehen und den Schnee angegriffen.

Darauf habe ich den Satz gesagt: ich möcht ein solcher werden wie einmal ein andrer gewesen ist, womit ich ausdrücken wollte, warum der Schnee mich denn in die Hände beiße. Einmal bin ich im Finstern aufgewacht und habe nichts gesehen. Darauf habe ich gesagt: ich möcht ein solcher werden wie einmal ein andrer gewesen ist, womit ich ausdrücken wollte, erstens, warum denn der ganze Raum weggeräumt worden sei, dann, weil ich mich selber nicht sah, warum man mich denn von allem, was zu mir gehörte, abgetrennt habe, worauf ich, weil ich jemanden, nämlich mich, sprechen gehört hatte, wieder sagte: ich möcht ein solcher werden wie einmal ein andrer gewesen ist? – womit ich ausdrücken wollte, daß ich gern gewußt hätte, wer sich mit seinem Reden auch noch über mich lustig machte. Dann sah ich einmal ins Freie, wo es sehr grün leuchtete, und ich sagte zu dem Freien: ich möcht ein solcher werden wie einmal ein andrer gewesen ist? – und mit diesem Satz wollte ich das Freie fragen, warum mich denn die Füße so schmerzten. Ich bemerkte auch einen Vorhang, der sich bewegte. Darauf sagte ich, aber nicht zu dem Vorhang: ich möcht ein solcher werden wie einmal ein andrer gewesen ist, und damit wollte ich sagen, aber nicht zum Vorhang, ich weiß nicht zu wem, warum alle Tischladen offen seien und warum mein Mantel immer in die Tür eingeklemmt werde. Ich hörte auch jemanden über Treppen steigen, wobei es knarrte, und ich sagte darauf zu dem Knarren, daß ich ein solcher werden möchte wie einmal ein andrer gewesen sei, womit ich ausdrücken wollte, wann denn mein Kopf wieder leichter sein werde. Auch ließ ich einmal einen Teller fallen, der aber nicht zerbrach, worauf ich ausrief: ich möcht ein solcher werden wie einmal ein andrer gewesen ist, womit ich meinte, daß ich vor nichts auf der Welt Angst hätte, worauf ich wieder sagte: ich möcht ein solcher werden wie einmal ein andrer gewesen ist, womit ich begreiflich machen wollte, daß mir doch etwas Angst einjagen könnte, und zwar ein angebrochener Eiszapfen; und dann fühlte ich einmal keine Schmerzen mehr, und ich rief: ich möcht ein solcher werden wie einmal ein andrer gewesen ist, womit ich jedem sagen wollte, daß ich endlich keine Schmerzen mehr fühlte, aber dann fühlte ich wieder Schmerzen und ich flüsterte jedem ins Ohr: ich möcht ein solcher werden wie einmal ein andrer gewesen ist, womit ich jedem zurufen wollte, daß ich im Gegenteil keine Schmerzen mehr fühlte und daß mit mir alles in Ordnung sei, womit ich anfing zu *lügen*; und endlich sagte ich zu mir selber: ich möcht ein solcher werden wie einmal ein andrer gewesen ist, und wollte damit wissen, was denn der Satz, den ich zu mir sagte, überhaupt *bedeute*.

Weil der Schnee weiß gewesen ist und weil der Schnee das erste Weiße gewesen ist, das ich gesehen habe, habe ich alles, was weiß war, Schnee genannt. Mir wurde auch ein Taschentuch gegeben, das weiß war, aber ich glaubte, es würde mich beißen, weil der weiße Schnee mich in die Hand biß, als ich ihn anfaßte, und faßte das Taschentuch nicht an und als ich das Wort Schnee wußte, nannte ich das weiße Taschentuch Schnee: aber wenn ich später, als ich auch das Wort Taschentuch wußte, ein weißes Taschentuch sah, *dachte* ich noch immer, auch wenn ich das Wort Taschentuch *sprach*, das Wort Schnee, wodurch ich überhaupt erst angefangen habe, mich zu *erinnern*. Ein braunes oder graues Tuch aber ist kein Schnee gewesen. Ebenso ist ein brauner oder grauer Schnee kein *Schnee* gewesen, sondern das *erste* Braune oder Graue, das ich gesehen hatte, zum Beispiel ein Kothaufen oder ein Pullover. Aber eine weiße Wand ist Schnee gewesen, und ebenso ist, wenn ich lange in die Sonne geschaut hatte, weil ich dann nur Weiß sah, geradezu *alles* Schnee gewesen. Schließlich habe ich das Wort Schnee aus Neugier sogar für etwas nicht Weißes gebraucht, um zu sehen, ob daraus Schnee würde, dadurch, daß ich das *Wort* Schnee sagte und wenn ich das Wort Schnee auch nicht *sagte*, so *dachte* ich es oder erinnerte mich wenigstens bei jedem Anblick wenn nicht an den Schnee, so doch an das Wort Schnee. Sogar beim Einschlafen oder beim Gehen in einem Hohlweg oder beim Laufen im Finstern habe ich immerfort das Wort

Schnee gesagt. Endlich aber ist es so weit gekommen, daß ich nicht nur Wörtern und Sätzen über den Schnee nicht mehr glaubte, sondern auch dem Schnee selber, wenn er lag oder fiel, nicht mehr glaubte und ihn weder für wirklich noch für möglich hielt, nur weil ich dem Wort Schnee nicht mehr glaubte.

Die Landschaft ist damals ein buntbemalter Fensterladen gewesen. Seit ich einmal den *Schatten* eines Stuhls auf dem Boden gesehen habe, habe ich von da an einen *umgestürzten* Stuhl auf dem Boden immer als *Schatten* des Stuhls bezeichnet. Jede Bewegung ist ein *Laufen* gewesen, weil ich damals vor allem *laufen* und *weglaufen* wollte; auch das Schwimmen im Wasser ist ein *Laufen* gewesen. Das Springen ist ein Laufen in die falsche Richtung gewesen. Auch das Fallen ist ein *Laufen* gewesen. Jede *Flüssigkeit*, auch wenn sie still war, ist ein *mögliches Laufen* gewesen. Wenn ich Angst hatte, sind die Gegenstände sehr schnell *gelaufen*. Aber Nachtwerden war damals Ohnmächtigwerden.

Wenn ich nicht wußte wohin, wurde mir erklärt, daß ich, wenn ich nicht wüßte wohin, Angst hätte, wodurch ich das Fürchten lernte; und wenn ich rot sah, wurde mir erklärt, daß ich zornig sei; aber wenn ich mich verkriechen wollte, schämte ich mich; und wenn ich in die Luft sprang, freute ich mich; aber wenn ich nahe am Platzen war, hatte ich ein Geheimnis oder war stolz auf etwas; und wenn ich beinahe verging, hatte ich Mitleid; aber wenn ich nicht aus noch ein wußte, war ich verzweifelt; und wenn ich nicht wußte, wo mir der Kopf stand, war ich verwirrt; aber wenn mir der Atem stockte, erschrak ich; und wenn ich aschfahl im Gesicht war, fürchtete ich mich vor dem Tod; aber wenn ich mir die Hände rieb, war ich zufrieden; und wenn ich stotterte, wurde mir erklärt, daß ich, wenn ich stotterte, glücklich sei; wenn ich stotterte, war ich glücklich.

Nachdem ich das Wort *ich* sagen gelernt hatte, hat man mich eine Zeitlang mit dem Wort ich ansprechen müssen, weil ich nicht wußte, daß mit dem Wort du ich gemeint war, da ich doch ich hieß; und auch, als ich das Wort du schon verstand, tat ich eine Zeitlang, als wüßte ich nicht, wer gemeint sei, weil es mir Vergnügen machte, nichts zu verstehen; so machte es mir dann auch Vergnügen, mich jedesmal zu melden, wenn das Wort du fiel.

Wenn ich ein Wort nicht verstand, verdoppelte ich es und verdoppelte es noch einmal, damit es mir nicht mehr lästig fiel. Ich habe gesagt: Krieg, Krieg; Fetzen, Fetzen. Ich habe gesagt: Krieg, Krieg, Krieg, Krieg; Fetzen, Fetzen, Fetzen, Fetzen. So habe ich mich an die Wörter gewöhnt.

Ich habe zuerst eine Person gesehen. Später, nachdem ich schon diese eine Person gesehen hatte, habe ich noch mehrere Personen gesehen. Darüber habe ich mich nicht wenig gewundert.

Ich habe etwas glänzen sehen. Weil es so glänzte, wollte ich es haben. Ich wollte alles haben, was glänzte. Später wollte ich auch das haben, was nicht glänzte.

Ich habe gesehen, daß jemand etwas hatte. Ich wollte auch so etwas haben. Später wollte ich auch etwas haben.

Einer der Kaspars hinten hat inzwischen eine große Feile aus seinem Karton hervorgeholt und an seinem Karton einen Strich getan. Er beginnt darauf, auch an seinen Nachbarkaspar zu feilen. Das Geräusch der Feile ist eins von denen, die durch Mark und Bein gehen. Alle Kaspars sind an geeigneten Stellen mit Stoffen bekleidet, die im Verein mit einer Feile, einem Messer, einem Nagel und ähnlichen Werkzeugen alle erdenklichen markerschütternden Geräusche ermöglichen. Bis jetzt ist nur eines dieser Geräusche kurz hörbar gewesen. Die geeigneten Stoffe an den Kaspars sind etwa Schaumgummi, Karton, Blech, Steine, Schiefer usw. All das liegt in den Kartons. Auch die Geräusche, die beim Zusammenknüllen des Packpapiers entstehen, können verwendet werden. Im Folgenden nehmen die Geräusche an Häufigkeit und Stärke zu, indem sich nach und nach alle Kaspars im Hintergrund mit Feilen, Messern, Griffeln, Eisennägeln

Wenn ich aufgewacht bin, habe ich gegessen. Dann habe ich gespielt und auch gesprochen, bis ich wieder eingeschlafen und wieder aufgewacht bin.

Einmal habe ich die Hände in die Taschen gesteckt und sie dann nicht mehr herausziehen können.

Einmal ist mir jeder Gegenstand als Beweisstück für etwas vorgekommen, aber wofür?

Einmal *(er versucht zu schlucken)* habe ich nicht schlucken können.

Einmal *(er versucht zu niesen)* habe ich nicht niesen können.

Einmal *(er versucht zu gähnen)* habe ich nicht gähnen können.

Einmal *(er versucht, mit Anstrengung die folgenden Sätze zuende zu sprechen)* — die anderen verfolgen ... ich holte ... niemand besiegte ... die Gegenstände waren ... ich trieb ... niemand streichelte ... die anderen bestürmten ... die Gegenstände hatten ... niemand stob ... ich stieß ... die anderen zeigten ... die Gegenstände wur-

Fingernägeln über die Kartons und übereinander hermachen, wobei sie allmählich auch aufstehen und sich zusammenballen. Jedes Geräusch ist aber eindeutig zu unterscheiden: keines wird wahllos erzeugt; dazu machen sie nicht die Rede Kaspars vorn undeutlich, sondern verdeutlichen diese noch.

Die Geräusche werden immer ausführlicher. Es sind etwa die Geräusche, die entstehen, wenn eine verklemmte Tür über einen Steinboden schrubbt. Ein Eisbär im Zirkus rutscht mit offenen Krallen eine Metallschiene hinunter. Ein Schlitten fährt mit den Kufen vom Schnee auf Schotter oder Beton. Die Kreide oder ein Fingernagel rutscht auf der Tafel aus. Das Messer rutscht auf dem Teller aus. Jeder geht mit schleifendem Metallabsatz auf einem Marmorboden. Eine Säge schneidet feuchtes frisches Holz. Ein Fingernagel fährt über eine Fensterscheibe, Stoff reißt. Usw. (Der Phantasie überlassen, aber nicht zu sehr.) Indem die Kaspars diese Geräusche aneinander erzeugen, und dazu die Kartons und diverse für diese Zwecke geeigneten Gegenstände in den Kartons (Schaumgummi etc.) zerfeilen, zerschneiden etc., geraten sie von hinten immer weiter nach vorne.

den ... ich rückte ... die anderen rissen ... niemand senkte ... die Gegenstände sind ... die Gegenstände haben ... die anderen reiben ... niemand schlägt ... ich schleife ... die Gegenstände werden ... niemand drosselt ... die anderen bekommen ... — habe ich einen Satz nicht zuende sprechen können.
Einmal habe mich mich ... einmal habme mich mich ... eimal habme mich mim ... eimal hame mim mim ... meimam mame m:m m:m ... — einmal habe ich mich versprochen, und alle haben sich angeschaut.

Einmal habe ich als einziger gelacht.

Einmal habe ich mich auf eine Fliege gesetzt.

Einmal hörte ich überall Mörder! schreien, aber als ich nachschaute, fand ich nur eine geschälte Tomate im Abfalleimer.

Auf einmal habe ich mich von der Einrichtung unterschieden.

Schon mit meinem ersten Satz bin ich in die Falle gegangen.

Ich kann mich verständlich machen. Ich denke, daß ich lange geschlafen haben muß, weil ich jetzt wach bin. Ich gehe zum Tisch und gebrauche den Tisch, aber siehe da — der Tisch besteht nach dem Gebrauch weiter fort. Ich kann auftreten, weil ich weiß, wo mein Platz ist. Ich kann nicht mit trockenen Händen einschlafen, aber wenn ich in die Hände spucke, werden sie noch trockener. Dadurch, daß ich sage: der Stuhl ist harmlos, ist es mit der Harmlosigkeit des Stuhls auch schon vorbei. Ich fühle mich wohl, wenn die Tür, nachdem sie schon lange offengestanden hat, endlich geschlossen wird. Ich weiß, wo alles hingehört. Ich habe den Blick für das rechte Maß. Ich nehme nichts in den Mund. Ich kann bis drei lachen. Ich bin brauchbar. Ich höre auf große Entfernungen Holz verwesen. Ich nehme nichts mehr wörtlich. Ich kann es nicht erwarten aufzuwachen, während ich es früher nicht erwarten konnte, einzuschlafen. Ich bin zum Sprechen gebracht. Ich bin in die Wirklichkeit übergeführt. — Hört ihr's? *Stille.* Hört ihr? *Stille.* Pst. *Stille.*
Die Bühne wird schwarz.
Stille.

65

Während die Bühne wieder hell wird, tritt wieder die Dreiteilung der Vorgänge ein: zugleich mit dem folgenden Gerede Kaspars setzen durch die Lautsprecher, aber leise, noch einmal die Einsager an. Sie wiederholen flüsternd immerzu etwa folgenden Text: Möge doch. Eigene Zukunft. Jetzt jeder zweite gegenüber früher jeder vierte. Ding der Möglichkeit. Möge doch. Leben erleichtern. Möge doch. Entfaltung. Möge doch. In Wirklichkeit. Möge doch. Eine ständig wachsende Zahl. Möge doch. Dient der. Möge doch. Birgt Gefahren. Möge doch. Dazu bedarf es. Möge doch. *Schließlich wiederholen sie bis zum Schluß leise:* Möge doch. Möge doch. Möge doch. *Unterdessen kommen die Kaspars, schleifend usw., nach vorn zu dem Rede-*

kaspar und machen sich, schleifend usw. an diesem zu schaffen. Einen Gegenstand, etwa einen Stuhl, verspotten sie besonders, indem sie ihn auslachen, ihn nachahmen, ihn kostümieren, ihn wegziehen und sein Geräusch beim Wegziehen nachmachen und den Stuhl schließlich so der Lächerlichkeit preisgeben und ihn und alle anderen Gegenstände UNMÖGLICH MACHEN. Der Kaspar vorn hat weitergesprochen:

Ich höre die Scheite im Feuer g e m ü t l i c h knacken, womit ich ausdrücken will, daß ich die Knochen n i c h t gemütlich knacken höre. Der Stuhl steht h i e r, der Tisch steht d o r t, womit ich ausdrücken will, daß ich eine Geschichte erzähle. Ich möchte nicht älter sein, aber ich möchte, daß jetzt schon viel Zeit vergangen wäre, womit ich ausdrücken will, daß ein Satz ein Ungeheuer ist, womit ich ausdrücken will, daß Reden vorübergehend helfen kann, womit ich ausdrücken will, daß jeder Gegenstand kitzlig wird, wenn ich erschrecke. Ich sage: ich kann mir vorstellen, jetzt überall zu sein, nur daß ich mir nicht vorstellen kann, w i r k l i c h dort zu sein, womit ich sagen will, daß die Türklinken l e e r sind. Ich kann sagen: die Luft s c h n a p p t z u, oder: der Raum k n a r r t, oder: der Vorhang k l i r r t, womit ich ausdrücken will, daß ich nicht weiß, wo ich die Hand hintun oder die Hand l a s s e n soll, während ich, wenn ich sage, daß ich nicht weiß, wo ich die Hand lassen soll, ausdrücken will, daß alle Türen mich nur unter dem Vorwand heranlocken, daß sie sich ö f f n e n lassen, welchen Satz ich in dem Sinn gebrauchen möchte, daß mir die Haare in den Tisch geraten sind w i e i n e i n e M a s c h i n e und daß ich skalpiert bin: wörtlich: bei jedem neuen Satz wird mir übel: bildlich: ich bin durcheinandergebracht: man hat mich in der Hand: ich schaue auf die andere Seite: es herrscht eine unblutige Stille: ich werde meiner nicht mehr los: ich werfe den Hut auf den Fleischerhaken: jeder Schemel hilft beim Sterben: die Einrichtung ist wasserdicht: die Möbel sind wie sie sein sollen: nichts ist offen: der Schmerz wird absehbar: die Zeit muß aufhören: die Gedanken werden ganz klein: ich habe m i c h s e l b e r noch erlebt: ich habe mich nie gesehen: ich leiste keinen nennenswerten Widerstand: die Schuhe passen wie angegossen: ich komme nicht mit dem Schrecken davon: die Haut geht ab: der Fuß schläft sich tot: Kerzen und Satzegel: Kälte und Mücken: Pferde und Eiter: Rauhreif und Ratten: Aale und Ölkrapfen: Ziegen und Affen: Ziegen und Affen: Ziegen und Affen: Ziegen und Affen:

Inzwischen haben die anderen Kaspars an ihren mitgebrachten Gegenständen und am redenden Kaspar mit ihren Werkzeugen einen immer höllischeren Lärm erzeugt. Dabei kichern sie, führen die Gestik von Hintergrundspersonen in üblichen Stücken aus, spotten im Rhythmus des Sprechens dem Redekaspar nach usw. Auch der Redekaspar hat eine Feile hervorgeholt und, indem er am Mikrofonkopf feilte und die Sätze, die er sprach, unterstützte, einen ähnlichen Lärm erzeugt. Jetzt aber, mit einem Mal, herrscht eine ziemlich vollkommene Stille. Die Kaspars schlagen nur noch ein wenig mit den Armen in die Luft und fuchteln in der Luft herum. Sie zappeln noch ein wenig. Sie schnüffeln.
Dann sagt der Kaspar:

Ziegen und Affen:

Dazu macht der Vorhang, mit einem schrillen Geräusch, einen ersten kleinen Ruck gegen die Mitte zu, wo die Kaspars zappeln.

Ziegen und Affen:

Mit einem schrilleren Geräusch ruckt der Vorhang noch ein Stück gegen die Mitte zu.

Ziegen und Affen:

Mit einem noch schrilleren Geräusch ruckt der Vorhang noch ein Stück gegen die Mitte zu.

Ziegen und Affen: *Mit einem noch schrilleren Geräusch ruckt der Vorhang noch ein Stück gegen die Mitte zu.*

Ziegen und Affen: *Mit dem schrillsten aller möglichen Geräusche trifft der Vorhang in einem abschließenden Ruck die an den Händen noch ein wenig zappelnde Versammlung der Kaspar in dem Augenblick nach dem letzten Wort des redenden Kaspar: er wirft die Gesellschaft um. Sie fallen, aber hinter den Vorhang, der jetzt zu ist. Zugleich wird es still und das Stück ist aus.*

Anhang

Bemerkung zu meinen Sprechstücken

Die Sprechstücke sind Schauspiele ohne Bilder, insofern, als sie kein Bild von der Welt geben. Sie zeigen auf die Welt nicht in der Form von Bildern, sondern in der Form von Worten, und die Worte der Sprechstücke zeigen nicht auf die Welt als etwas außerhalb der Worte Liegendes, sondern auf die Welt in den Worten selber. Die Worte, aus denen die Sprechstücke bestehen, geben kein Bild von der Welt, sondern einen Begriff von der Welt. Die Sprechstücke sind theatralisch insofern, als sie sich natürlicher Formen der *Äußerung* in der Wirklichkeit bedienen. Sie bedienen sich nur solcher Formen, die auch in der Wirklichkeit naturgemäß Äußerungen sein müssen, das heißt, sie bedienen sich der Sprachformen, die in der Wirklichkeit *mündlich* geäußert werden. Die Sprechstücke bedienen sich der natürlichen Äußerungsform der Beschimpfung, der Selbstbezichtigung, der Beichte, der Aussage, der Frage, der Rechtfertigung, der Ausrede, der Weissagung, der Hilferufe. Sie bedürfen also eines Gegenübers, zumindest *einer* Person, die zuhört, sonst wären sie keine natürlichen Äußerungen, sondern vom Autor erzwungen. Insofern sind die Sprechstücke Theaterstücke. Sie ahmen die Gestik all der aufgezählten natürlichen Äußerungen ironisch im Theater nach.
Es kann in den Sprechstücken keine Handlung geben, weil jede Handlung auf der Bühne nur das Bild von einer anderen Handlung wäre: die Sprechstücke beschränken sich, indem sie ihrer naturgegebenen Form gehorchen, auf Worte und geben keine Bilder, auch nicht Bilder in der Form von Worten, die nur die vom Autor erzwungenen Bilder eines inneren, naturgemäß nicht geäußerten wortlosen Sachverhalts wären und keine *natürlichen* Äußerungen.
Sprechstücke sind verselbständigte Vorreden der alten Stücke. Sie wollen nicht revolutionieren, sondern aufmerksam machen.

»Manifest«

1 Jede Aussage verweigern.
2 Nicht mit einer Wahrheit herausrücken.
3 Lügen wie gedruckt.
4 Die Dinge auf den Kopf stellen.
5 Nicht die Wirklichkeit Sprache, sondern die Sprache Wirklichkeit werden lassen.
6 Nicht von der Sprache sprechen.
7 Sich in Widersprüche verwickeln.
8 Nicht für den Tag schreiben.
9 Nicht für die Ewigkeit schreiben.
10 Die Dinge in der Schwebe halten.
11 Sich mit den Tatsachen nicht abfinden.
12 Nicht mit beiden Beinen auf dem Erdboden stehen.
13 Keine Regeln für andre aufstellen.
14 Die Bedeutung der Konversation als erste und letzte Hilfe betonen.
15 An Wildwestfilmen das Sterben erlernen.
16 Selbst im kleinsten zerdärmten Frosch noch die Abwesenheit Gottes erkennen.
17 In jugendlichem Überschwang über das Ziel hinausschießen.
18 Sich selber am nächsten sein.
19 Sich in niemanden hineindenken wollen.
20 Nur von sich selber schreiben.
21 Immer vorsätzlich handeln.
22 Mit niemandem Gedanken austauschen.
23 Allem Menschlichen fremd sein.
24 Durch Schreiben sich herausreden wollen.
25 Ins Kino gehen.
26 Im Gras liegen.
27 Keine Manifeste verfassen.
28 Schwarze Schuhpasta kaufen.
29 Weltberühmt werden.

Zur »Publikumsbeschimpfung«

Die *Publikumsbeschimpfung* ist kein Stück gegen das Theater. Es ist ein Stück gegen das Theater, wie es ist. Es ist nicht einmal ein Stück gegen das Theater, wie es ist, sondern ein Stück für sich. Die *Publikumsbeschimpfung* ist ein Stück gegen das Theater, wie es ist, und ein Stück für das Theater, wie es ist und war. Es ist ein Stück gegen das Theater, wie es ist, nur insofern, als es keine Geschichte zum Vorwand braucht, Theater zu machen. Es braucht nicht die Vermittlung einer Geschichte, damit Theater entsteht, es ist unmittelbares Theater. Der Zuschauer braucht nicht erst in eine Geschichte hineinzukommen, es brauchen ihm weder Vorgeschichten noch Nachgeschichten erzählt zu werden: auf der Bühne gibt es nur das Jetzt, das auch das Jetzt des Zuschauers ist. Bequemt sich der Zuschauer zum Zuhören, so wird ihm dieses Jetzt begreiflich werden. Deswegen geht es zuletzt nicht um die körperliche Reaktion des Zuschauers, sondern um die Reflexion.

Die *Publikumsbeschimpfung* ist kein Stück gegen den Zuschauer. Oder es ist nur deswegen ein Stück gegen den Zuschauer, damit es ein Stück für den Zuschauer werden kann. Der Zuschauer wird befremdet, damit er zum Überlegen kommt. Das Stück ist auch nicht gegen ein bestimmtes Publikum geschrieben, etwa gegen eines, das bequem in den Sesseln hockt etc. (Im Gegenteil, das Publikum sollte möglichst bequem in den Sesseln hocken, so bequem jedenfalls, daß es aufmerksam zuhören kann.) Das Stück ist nicht geschrieben, damit das übliche Publikum einem anderen Publikum Platz macht, sondern damit das übliche Publikum ein anderes Publikum wird. Das Stück kann dazu dienen, dem Zuschauer seine Anwesenheit, gemütlich oder ungemütlich, bewußt zu machen, ihn seiner selber bewußt zu machen. Es kann ihm bewußt machen, daß er da ist, daß er anwesend ist, daß er existiert. Im besten Fall kann es ihn nicht treffen, sondern betreffen. Es kann ihn aufmerksam, hellhörig, hellsichtig machen, nicht nur als Theaterbesucher.

Über das Stück »Weissagung«

Die *Weissagung* ist von den drei Sprechstücken das rein formalistische. Nicht *ein* Satz gibt, wie in der *Selbstbezichtigung*, einen Sinn vor, dem der Sinn eines anderen Satzes dann widerspricht. In der *Weissagung* ist schon jeder Satz für sich sinnlos; der Sinn braucht nicht erst durch einen anderen Satz aufgehoben zu werden. Die *Weissagung* hat keinen Sinn, weder einen tieferen noch einen anderen. Sie hat keinen Sinn, weil ihr Sinn nicht bestimmbar ist. Es wird mit ihr nichts ausgesagt, auch nicht etwa, wie absurd Weissagungen in Wirklichkeit seien. Es steckt nichts dahinter, auch nichts zwischen den Worten und Zeilen. Die *Weissagung* ist kein Sinnspiel, sondern ein Sprachspiel. Was erreicht werden soll, ist eine größtmögliche akustische Dichte, die einen größtmöglichen akustischen Reiz erzeugt. Die Erde soll dröhnen von Metaphern.

Über das Stück »Selbstbezichtigung«

Selbstbezichtigung ist ein Stück ohne Fabel. In ihr geht keine Geschichte vor sich, jedenfalls nicht die besondere Geschichte eines besonderen Menschen. Das »Ich« der *Selbstbezichtigung* ist nicht das »Ich« einer Erzählung, sondern nur das »Ich« der Grammatik. Es ist kein persönliches Ich, sondern ein unpersönliches. Die Geschichte der *Selbstbezichtigung* zeigt nicht eine besondere Geschichte.

Es wird ein Ich vorgeführt, das alle Regeln bricht, die sich aus der Geschichte des Zusammenlebens der Menschen ergeben haben. Dabei zeigt sich, daß diese Regeln, je nach der Gesellschaftsform, einander widersprechen. Das Ich der *Selbstbezichtigung* bricht Regeln einer Gesellschaftsform, die nach den Regeln einer anderen Gesellschaftsform gebrochen werden *sollen*, und umgekehrt. Was auch immer es im gesellschaftlichen Raum tut oder nicht tut, in jedem Fall bricht es irgendeine Regel. Die Komik der Widersprüche vorzuführen ist eine der Absichten des Stückes.

Ein Widerspruch liegt schon in der Form. Das Stück hat die Form einer katholischen Beichte und trägt die Bezeichnung jener öffentlichen Selbstanklagen, wie sie unter totalitären Regimen üblich sind. Obwohl die Assoziation zu beiden Formen möglich ist, ist das Stück nicht *wirklich* eine Beichte oder Selbstbezichtigung, sondern nur das formale Plagiat dieser Formen. Die völlig monotone Form der Reihung, wie sie in den Beichtspiegeln üblich ist, ist gewählt, um einen Grundrhythmus zu geben, der dann möglichst vielfältig akustisch variiert wird.

Daß das Stück keine *besondere* Geschichte hat, geht schon aus dem Titel hervor. *Selbstbezichtigung* hat keinen Artikel davor, das Stück heißt nicht *Die Selbstbezichtigung*. Der Artikel würde schon dem Stück etwas Besonderes, Einmaliges geben, *die* Selbstbezichtigung wäre eine besondere Selbstbezichtigung eines Einzelmenschen, dessen einmal geschehene Ge-

schichte bei jeder Aufführung dann wiederholt würde. So aber, weil die Selbstbezichtigung nicht die eines bestimmten Wesens ist, geht sie bei jeder Aufführung neu vor sich, immer ist sie die Selbstbezichtigung derer, die gerade anwesend sind, wer diese auch als Einzelmenschen sein mögen. Das Stück ist kein mittelbares, vermitteltes, sondern unmittelbares Theater. Der Zuhörer und Zuschauer ist der Zuhörer und Zuschauer seiner selbst.
Er braucht nicht erst mitzuspielen, weil das Stück ja schon von ihm spielt.

Kaspars sechzehn Phasen

1. Phase Kann Kaspar, der einen Satz hat, mit diesem Satz anfangen und etwas anfangen?
2. Phase Kann Kaspar mit seinem Satz gegen andre Sätze etwas ausrichten?
3. Phase Kann sich Kaspar mit seinem Satz gegen andre Sätze zumindest behaupten?
4. Phase Kann Kaspar sich gegen andre Sätze wehren und sich, obwohl ihn die Sätze zum Sprechen anstacheln, still verhalten?
5. Phase Kann Kaspar erst dadurch, daß er sprechen kann, das, von dem er spricht, wahrnehmen?
6. Phase Kann Kaspar, der Sätze hat, mit diesen Sätzen nicht nur gegen andre Sätze, sondern auch gegen die Gegenstände der andern Sätze etwas ausrichten?
7. Phase Kann Kaspar mit Hilfe von Sätzen über die Ordnung oder besser: mit geordneten Sätzen, sich selber in Ordnung bringen?
8. Phase Kann Kaspar aus der Ordnung *eines* Satzes eine ganze Reihe von Sätzen bilden, die eine *umfassende* Ordnung darstellen?
9. Phase Kann Kaspar lernen, was jeweils das Modell ist, mit dem eine unendliche Zahl von Sätzen über die Ordnung beliebig hergestellt werden kann?
10. Phase Kann sich Kaspar mit den gelernten Satzmodellen die Gegenstände zugänglich machen oder aber den Gegenständen zugänglich gemacht werden?
11. Phase Kann Kaspar mit Sätzen seinen Beitrag zur großen Gemeinschaft der Sätze leisten?
12. Phase Kann Kaspar dazu gebracht werden, mit Sätzen, die sich reimen, sich auf die Gegenstände der Sätze einen Reim zu machen?
13. Phase Kann Kaspar sich Fragen stellen?

14. Phase Kann Kaspar mit unbefangenen Sätzen, die er auf seine alten befangenen Sätze anwendet, die verkehrte Welt dieser Sätze umkehren?

15. Phase Kann Kaspar sich wenigstens mit einer verkehrten Welt von Sätzen gegen verkehrte Sätze von der Welt behaupten? Oder: Kann Kaspar, indem er verkehrte Sätze verkehrt, wenigstens den falschen Schein der Richtigkeit meiden?

16. Phase Wer ist Kaspar jetzt? Kaspar, wer ist jetzt Kaspar? Was ist jetzt, Kaspar? Was ist jetzt Kaspar, Kaspar?

Zeittafel

1942	in Griffen/Kärnten geboren.
1944–1948	lebt er in Berlin. Dann Volksschule in Griffen.
1954–1959	als Internatsschüler Besuch des humanistischen Gymnasiums. Die letzten zwei Jahre in Klagenfurt.
1961–1965	Studium der Rechtswissenschaften in Graz.
1963–1964	*Die Hornissen* (Graz, Krk/Jugoslawien, Kärnten).
1964–1965	*Sprechstücke* (Graz). Umzug nach Düsseldorf.
1963–1964	*Begrüßung des Aufsichtsrats* (Graz, Düsseldorf).
1965–1966	*Der Hausierer* (Graz, Düsseldorf).
1967	*Kaspar* (Düsseldorf).
1968	*Das Mündel will Vormund sein* (Düsseldorf).
1965–1968	*Die Innenwelt der Außenwelt der Innenwelt* (Graz, Düsseldorf). Umzug nach Berlin.
1969	*Die Angst des Tormanns beim Elfmeter* (Berlin). *Quodlibet* (Berlin, Basel). Umzug nach Paris.
1968–1970	*Hörspiele* (Düsseldorf, Berlin, Paris).
1970	*Chronik der laufenden Ereignisse* (Paris). *Der Ritt über den Bodensee* (Paris).
1971	*Der kurze Brief zum langen Abschied* (Köln).
1972	*Wunschloses Unglück* (Kronberg).
1973	*Die Unvernünftigen sterben aus* (Kronberg).

Von Peter Handke
erschienen im Suhrkamp Verlag

Die Hornissen. *Roman*
1966. 278 Seiten. Leinen
Der Hausierer. *Roman*
1967. 204 Seiten. Engl. Broschur
Prosa, Gedichte, Theaterstücke, Hörspiel, Aufsätze
(Bücher der Neunzehn) 1969. 352 Seiten. Leinen
Die Angst des Tormanns beim Elfmeter. *Erzählung*
1970. 128 Seiten. Engl. Broschur
Der kurze Brief zum langen Abschied. *Roman*
1972. 195 Seiten. Engl. Broschur

edition suhrkamp

Publikumsbeschimpfung und andere Sprechstücke
edition suhrkamp 177
Die Innenwelt der Außenwelt der Innenwelt
edition suhrkamp 307
Kaspar. *Stück*
edition suhrkamp 322
Wind und Meer. *Hörspiele*
edition suhrkamp 431
Der Ritt über den Bodensee. *Stück*
edition suhrkamp 509

suhrkamp taschenbücher

Chronik der laufenden Ereignisse. *Filmbuch*
suhrkamp taschenbuch 3
Die Angst des Tormanns beim Elfmeter. *Erzählung*
suhrkamp taschenbuch 27
Stücke 1
suhrkamp taschenbuch 43

Ich bin ein Bewohner des Elfenbeinturms. *Aufsätze*
suhrkamp taschenbuch 56
Stücke 2
suhrkamp taschenbuch 101
Die Unvernünftigen sterben aus
suhrkamp taschenbuch 168

Über Peter Handke

Herausgegeben von Michael Scharang
edition suhrkamp 518

Der Band enthält neben zahlreichen Rezensionen zu allen Werken von Peter Handke folgende Beiträge:

Michael Springer, Im Internat
Peter Laemmle, Literarischer Positivismus: Die verdinglichte Außenwelt
Hilde Rubinstein, A propos Handke . . .
Klaus Hoffer, »Allgemeine Betrachtungen« (zu Handkes ›kurzem Brief‹)
Jörg Zeller, Handkes Stellung zur Sprache
lutz holzinger, handkes hörspiele
Heinz Ludwig Arnold, Innovation und Irritation als Prinzip. Zu Peter Handkes »Kaspar«
Mechthild Blanke, Zu Handkes »Kaspar«
Herbert Gamper, Bemerkungen zum Stück »Der Ritt über den Bodensee«
Peter Hamm/Peter Handke, Der neueste Fall von deutscher Innerlichkeit
Stellungnahmen junger österreichischer Autoren zu Peter Handke (Peter Matejka, Manfred Chobot, Hans Trummer)
Wolfgang Werth, Handke von Handke
Ernst Wendt, Handke 1966-71

Der Band wird beschlossen durch eine umfangreiche »Peter-Handke-Bibliographie« von Harald Müller.

suhrkamp taschenbücher

st 114 David Riesman
Wohlstand für wen?
Aus dem Amerikanischen von Gert H. Müller
128 Seiten
Ausgehend von den Theorien von Thorstein Veblen über die »müßige Klasse« untersucht der berühmte amerikanische Soziologe Riesman in *Wohlstand für wen?* die nationale und internationale Verteilung des Reichtums und damit auch die Wirkungen, die das Gerücht vom Wohlstand und sein Abglanz auf diejenigen ausübt, die keinen Teil an ihm haben.

st 115 Wolfgang Koeppen
Nach Rußland und anderswohin
Empfindsame Reisen
272 Seiten
Diese Aufzeichnungen mit dem Untertitel »Empfindsame Reisen« führen nach Spanien, Holland, England und in die UdSSR. Unmöglich die Vorstellung, der Autor orientiere sich an einem Reiseführer. Er absolviert kein Bildungspensum, sondern hält sich offen für das Erlebnis, für die »Zufälle« des Augenblicks und sieht gerade das, was wahrzunehmen das präparierte Reiseabenteuer verhindert. In seinen Reiseberichten nicht weniger als in seinen Romanen und Erzählungen erweist sich Koeppen als minuziöser Beobachter, dessen sprachliche Potenz hinter der Schärfe des Wahrgenommenen nicht zurückbleibt. Wie wenige zeitgenössische Autoren versteht er es, trotz kritischer Analyse Atmosphäre und Lokalkolorit zu vermitteln.

st 116 Hermann Hesse
Klein und Wagner. Novelle
112 Seiten
Die Novelle *Klein und Wagner* ist einer der Höhepunkte der Prosa Hermann Hesses. Friedrich Klein, der ehrbare Beamte, treusorgende Ehegatte und Familienvater, durchbricht plötzlich, belastet mit einem imaginären Verbrechen, dem vierfachen Mord an Frau und Kindern, mit falschem Paß, einem Revolver und unterschlagenem Geld, seine hausbackene Respektabilität. Die Figur des Beamten Klein mit dem beziehungsreichen Decknamen Wagner ist eine frühe Inkarnation von Hesses Steppenwolf.

st 117 Lars Norén
Die Bienenväter. Roman
Aus dem Schwedischen von Dorothea Bjelfvenstam
176 Seiten
Das Meisterstück dieses jungen Dichters ist eine Geschichte, die während einer Woche im heißen Sommer 1969 in Stockholm spielt und von Simon erzählt wird. Simon, kaum von einem Nervenzusammenbruch erholt, lebt von Alkohol und Tabletten, bei schon zugrunde gerichteten Mädchen, verfolgt von der Polizei, unterwegs zum Rauschgifthändler Staffan, um sich Geld zu borgen, zur Heilung seines Trippers, vor allem aber für das Begräbnis seines Vaters. Einmal besaß der Vater Bienenstöcke, die er vor den Augen des Jungen verbrannte.

st 118 Walter von Baeyer, Wanda von Baeyer-Katte
Angst
272 Seiten
Das vorliegende Buch gibt eine Übersicht über die Ergebnisse der neueren erfahrungswissenschaftlichen Angstforschung, wobei zwei »Hauptfundstellen der Angstforschung« im Vordergrund stehen: die Psychopathologie und die historisch-psychologische Terrorforschung. Diesen Kapiteln gehen kürzere Übersichten voran: über sprachlich-begriffliche Unterscheidungen, über Biologie, Physiologie und experimentelle Psychologie.

st 120 Günter Eich
Fünfzehn Hörspiele
608 Seiten
Der Band enthält *Geh nicht nach El Kuhwed!; Träume;*

Sabeth; Die Andere und ich; Blick auf Venedig; Der Tiger Jussuf; Meine sieben jungen Freunde; Die Mädchen aus Viterbo; Das Jahr Lazertis; Zinngeschrei; Die Stunde des Huflattichs; Die Brandung vor Setúbal; Allah hat hundert Namen; Festianus, Märtyrer; Man bittet zu läuten.

st 121 Bernard Shaw,
Der Sozialismus und die Natur des Menschen
272 Seiten
Der Band vereinigt die wichtigsten der bis vor kurzem verschollenen, erst in den sechziger Jahren wiederentdeckten politischen Essays aus den Jahren 1884–1918. Shaws Witz, sein Gespür für das Paradoxe und Absurde, sein Scharfblick für die Kausalitäten der Unmenschlichkeit machen diese Texte zu einer nach wie vor aktuellen und gewiß zur amüsantesten Anleitung volkswirtschaftlicher Bewußtseinsbildung, die sich denken läßt. Shaw gibt eine Entwicklungsgeschichte der sozialistischen Bewegung von Lassalle bis Marx und Bakunin.

st 122 Ror Wolf, Punkt ist Punkt. Fußball-Spiele
Erweiterte Ausgabe
176 Seiten
In kurzen Prosastücken – Spielszenen, Nachrichtenbündeln, Dialogen und Zitaten aus Fachpresse und Fernsehberichten, vom Platz und vom Stammtisch – wird ein literarisch kaum entdeckter Stoff präsentiert: der Fußball. Die Taschenbuchausgabe wurde erweitert durch neues Bildmaterial und durch bisher unveröffentlichte Texte, z. B. die »Fußballballade« aus dem Jahr 1965 und »Der Schuhkrieg 1966–1972«.

st 123 George Steiner
Sprache und Schweigen
Essays über Sprache, Literatur und das Unmenschliche
Deutsch von Axel Kaun
336 Seiten
Mit diesem Werk, das in viele Sprachen übersetzt wurde, erregte George Steiner internationales Aufsehen. Es ging um die Frage: »Verflechten sich die Wurzeln des Unmenschlichen mit denen der Hochzivilisation? Ist es möglich, daß im klassischen Humanismus selbst, in sei-

ner Neigung zur Abstraktion und zum ästhetischen Werturteil, ein radikales Versagen angelegt ist?«

st 124 Adolf Portmann
Biologie und Geist
Vierzehn Vorträge
Mit Kunstdrucktafeln
352 Seiten
Adolf Portmann gehört zu den führenden Verhaltensforschern der Gegenwart. Für Portmann entscheidend sind einerseits Probleme der Gestaltlehre, andererseits Probleme des Soziallebens von Tier und Mensch. Sein Ansatzpunkt liegt bei der Frage, wieviel Kunstform in dem enthalten sei, was uns als Naturform erscheint. Seiner Definition nach herrschen Kunstformen dort, wo Soziales in Erscheinung tritt.

st 127 Hans Fallada
Tankred Dorst
Kleiner Mann – was nun?
Eine Revue von Tankred Dorst und Peter Zadek
208 Seiten
Tankred Dorst hat Hans Falladas 1932 erschienenen Roman »Kleiner Mann – was nun?« dramatisiert, der zu einem der größten Bucherfolge seiner Zeit wurde. In der Geschichte des kleinen Angestellten Pinneberg und der Arbeitertochter Lämmchen in den Jahren der großen Arbeitslosigkeit erkannten Hunderttausende ihre eigene Geschichte, ihren Alltag, ihre Welt. Die Dramatisierung von Tankred Dorst wurde für die Neueröffnung der Städtischen Bühnen Bochum unter der Leitung von Peter Zadek vorgenommen.

st 128 Thomas Bernhard, Das Kalkwerk
224 Seiten
In der Nacht vom 24. zum 25. Dezember erschießt Konrad seine verkrüppelte, seit Jahren an den Rollstuhl gefesselte Frau. Zwei Tage später findet ihn die Polizei halberfroren in einer ausgetrockneten Jauchegrube. Er läßt sich widerstandslos abführen. »Thomas Bernhards Welt, ist man erst einmal mit ihr in Berührung gekommen, ist ganz und gar unausweichlich.« *Peter Hamm*

st 130 Paul Reiwald, Die Gesellschaft und ihre Verbrecher
Neu herausgegeben mit Beiträgen von Herbert Jäger und Tilmann Moser
272 Seiten
In diesem Buch versucht der psychoanalytisch geschulte Strafrechtler Paul Reiwald die Frage zu beantworten: Was geht psychologisch gesehen eigentlich in Strafprozessen vor zwischen Angeklagten, Richtern, Staatsanwälten und Verteidigern? Was ist die psychologische Bedeutung von Sühne und Rache, vom öffentlichen Strafbedürfnis, von der Faszination des Kriminalromans? Die Einführung von Herbert Jäger und Tilmann Moser weist diesem hier zum ersten Mal in leicht gekürzter Form neu vorgelegten Buch seinen gebührenden Platz in der heutigen Diskussion über Kriminalität und Strafe zu.

st 131 Ödön von Horváth, Der ewige Spießer. Roman
144 Seiten
Horváth selbst hat diesen seinen ersten 1930 erschienenen Roman einen »Beitrag zur Biologie des werdenden Spießers« genannt. Der ewige Spießer hat so viele Gesichter wie die Gesellschaft Hintertüren bereithält. An diesen Hintertüren hat sich Horváth zur Beobachtung aufgestellt und belauscht seinen Helden in dem Moment, in dem er sich am sichersten fühlt.

st 132 Werner Koch, See-Leben I
128 Seiten
See-Leben I ist der Versuch, ein utopisches Leben so darzustellen, als sei es die alltäglichste Realität. Der Mann, der *See-Leben I* erzählt, ist angestellt bei einer Kölner Firma. Nach seinem Urlaub weigert er sich, in die Firma zurückzukehren; er stellt sein Büro am See auf. Funktioniert das? Man wird sehen. »Dieses schlanke Buch von Werner Koch ist listig, tückisch, scheinbar mit der sogenannten leichten Hand geschrieben und hat doch einen merkwürdigen melancholischen Tief- und Schwergang.« *Heinrich Böll*

st 133 Hans Erich Nossack, Der jüngere Bruder. Roman
Erweiterte Ausgabe. Mit einem Nachwort von Christof Schmid
336 Seiten
Der Ingenieur Stefan Schneider kehrt nach einem lang-

jährigen Exil in unwegsamen Gegenden Brasiliens nach Hamburg zurück. Er findet ein Deutschland vor, das zwar noch die Spuren der Zerstörung des Zweiten Weltkriegs trägt, im übrigen aber weiterlebt, als sei nichts geschehen. Schneiders Frau war während des Krieges auf merkwürdige Weise gestorben. Bei der Aufklärung ihres Todes stößt Schneider auf das Geheimnis eines jungen Mannes, der auf alle, die ihm begegneten, eine ungewöhnliche Wirkung ausübte. – Die Taschenbuchausgabe dieses großen Romans ist um die Kapitel *Der Gast, Im Atelier, Der Brief* erweitert. Christof Schmid geht in seinem Nachwort auf die Entstehungsgeschichte des Romans und seine Stellung im Gesamtwerk Nossacks ein.

st 134 Theodor W. Adorno, Zur Dialektik des Engagements
Aufsätze zur Literatur des 20. Jahrhunderts II
208 Seiten
Während der erste Band der *Aufsätze zur Literatur des 20. Jahrhunderts* (st 72) Adornos Auseinandersetzungen mit dem sogenannten Absurdismus dokumentierte, so sammelt der zweite Band Aufsätze zu politischen Aspekten der heutigen Literatur. Auf die programmatische Auseinandersetzung mit Sartre und seiner Konzeption einer engagierten Literatur folgt die Beschäftigung mit Valéry, gewissermaßen dem Gegenbild des »engagierten« Schriftstellers, mit der ästhetizistischen Utopie von Stefan George und Hugo von Hofmannsthal, mit der Lyrik von Rudolf Borchardt, mit dem Werk von Thomas Mann, mit dem Utopisten Aldous Huxley. Der Band schließt mit dem berühmten offenen Brief an Rolf Hochhuth.

st 135 Wer ist das eigentlich – Gott?
Essays
Herausgegeben von Hans Jürgen Schultz
304 Seiten
Die Frage »Wer ist das eigentlich – Gott?« stammt von Kurt Tucholsky. Nicht ironisch oder polemisch wird sie heute formuliert, sondern neugierig und interessiert. Die Beiträge dieses Buches wollen von verschiedenen Gesichtspunkten aus und unter Beteiligung zahlreicher namhafter Autoren eine Antwort geben.

st 137 Zivilmacht Europa – Supermacht oder Partner?
Herausgegeben von Max Kohnstamm und Wolfgang Hager. Deutsch von Ruprecht Paqué
384 Seiten
Das Brüsseler Institut der Europäischen Gemeinschaft für Hochschulstudien versucht, mit diesem Band einen Überblick über die wichtigsten außenpolitischen Probleme zu geben, denen sich die jetzt neun Mitglieder der Europäischen Gemeinschaft gegenübersehen.

st 139 Hannes Alfvén, Atome, Mensch und Universum
Aus dem Amerikanischen von Jens Peter Kaufmann
128 Seiten
Der Leser, gerade jener Leser mit wenigen oder gar keinen Kenntnissen in den Naturwissenschaften, findet hier eine ausgezeichnete und fundierte erste Einführung in Entwicklung, Probleme und Argumentation naturwissenschaftlichen Denkens.

st 142 Magda Szabó, I. Moses 22. Roman
Aus dem Ungarischen von Henriette Schade und Géza Engl
224 Seiten
Magda Szabó hat dem Verhältnis zwischen den Generationen in ihrem Buch die Unmittelbarkeit der gelebten Wirklichkeit gegeben: in Ungarn, im Budapest des Jahres 1966. Die Gáls, Apothekenbesitzer, nach dem Krieg enteignet, gehören jetzt zu den »Gezeichneten«. Die Bartos, ehemals biedere Handwerker, haben jetzt ein Dienstauto, sie sind Stützen der Gesellschaft geworden. Für die Kinder beider macht das keinen Unterschied. Über die Köpfe der Eltern hinweg sind sie Freunde geworden; sie haben dasselbe Problem: gegängelt und doch sich selbst überlassen neben den Eltern zu leben. Die Welt der Eltern ist ihnen gleichgültig geworden, eine Scheinwelt, die sie nicht mehr betrifft, ja, mit der auseinanderzusetzen sich kaum lohnt.

st 150 Zur Aktualität Walter Benjamins
Aus Anlaß des 80. Geburtstags von Walter Benjamin herausgegeben von Siegfried Unseld
288 Seiten
Der vorliegende Band »Zur Aktualität Walter Benjamins« nimmt wichtige, hier erstmals publizierte Ab-

handlungen auf, die aus diesem Anlaß geschrieben worden sind, und Texte von Walter Benjamin, seine »Lehre vom Ähnlichen«, eine umfangreiche Variante der Arbeit »Über das mimetische Vermögen«, den autobiographisch bedeutenden Text »Agesilaus Santander«, den Briefwechsel mit Bertolt Brecht und drei Lebensläufe, deren letzter kurz vor seinem Tod geschrieben wurde.

st 151 Hermann Broch
Barbara und andere Novellen
384 Seiten
Dieser Band legt eine Sammlung von 13 Novellen vor, die besten aus Brochs Gesamtwerk. Die früheste, *Eine methodologische Novelle,* wurde 1917 geschrieben, die späteste, *Die Erzählung der Magd Zerline,* 1949. Die Besonderheit dieser Sammlung besteht in der erstmaligen Präsentation aller vorhandenen Tierkreisnovellen in ihrer Ursprungsfassung.

Alphabetisches Gesamtverzeichnis der suhrkamp taschenbücher